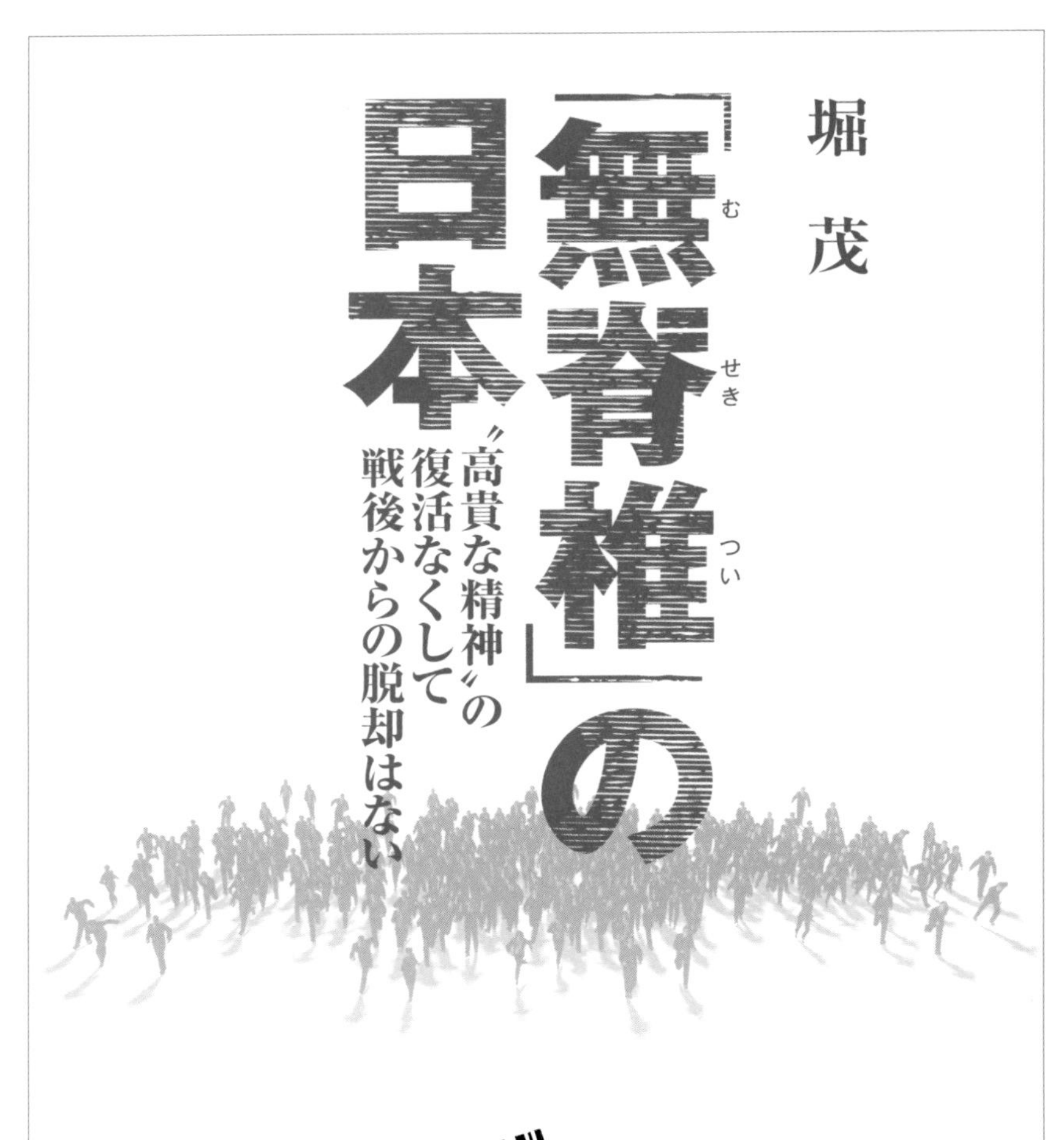

堀茂

「無脊椎(むせきつい)」の日本

“高貴な精神”の復活なくして戦後からの脱却はない

展転社

卒壽の母に

推薦の辭

東京大學名譽教授　小堀桂一郎

トーマス・マンに Der Adel des Geistes と題する藝術論集がある。一九四五年、祖國ドイツが術語の正確な意味での無條件降伏を以て大戰に敗北し、英米佛蘇連合四箇國による全國土の分割占領を受ける事になつた破局の年に亡命先の米國で出版した。則ち、徹底的に打ちのめされた祖國の同胞のために慰藉とも激勵ともして贈つた著作である。内容はドイツのみならずロシアを含む西歐の文學藝術遺産に漲る〈精神の高貴〉の作例を紹介・解説した壯年期の論文の集積となつてゐる。

ドイツ文學科に籍を置いてゐた學生時代の私はこの論集の存在に、何よりもその標題の風格に強く心を惹かれた。米軍の占領政策の基本方針だつた日本國民の精神破壞工作によつて根柢から傷つけられてしまつた我が日本の慘状に比べて、ドイツ國民がかうした形で表現してゐる文化的な自恃と戰勝國の傲慢に對する抵抗精神に羨望を込めた敬意を懷いた。

やがて一九六一年に一留學生として當時の西ドイツ連邦共和國で過す事になつた時、私は彼等の自恃と抵抗の現實を直接に眼にし、又しても自國の文化的對米隷屬の敗北者根性に慚愧と憤懣の情を强める思ひをした。

尤も當時の西ドイツに毅然として存した文化的自恃の念は、その後間もなく一九六八年の五月革命で大きく崩れた。その年に或るドイツの舊友から來た書簡の中に〈お前があれほどまでに愛してくれたドイツは今や消滅してしまつた〉といふ愴然たる文辭があつた事は忘れ難い。このベルリンとパリで猖獗した舊秩序破壞の疑似革命騷動は直ぐ日本にも飛火し、同年廣範圍の學園紛爭の嵐となつて吹き荒れたが、何分にもその實態は輸入の模造品だつたから受けた傷も淺く、癒えるのもドイツよりは早かつた樣に思ふ。日本の本質的な秩序崩壞は、やはり昭和天皇の崩御を機としての古來の傳統の意圖的無視から始まつた。

爾來三十餘年、〈精神の高貴〉といふ理念語は私の語彙から消えてゐた。自分の意識の裡で、といふよりも、現在の日本の如き「顧客國家」の國民の間では此の語は夙に久しく死語と化してをり、この語を今更持ち出してもその價値觀に同調してくれる人は居さうにない、少くとも所謂讀者大衆の間にこの語の隱れたる沿革とその意味を知つてゐる人は居ない、と思はれたからである。

堀茂氏の新著を拜讀すると、冒頭の章の付題から見ても昂然と〈高貴な精神〉の復活を求めてゐる。この揚言に接すると私は何十年か離れてゐた舊知の畏友が昔と少しも變らぬ儀容で眼前に現れ出た樣な懷しい感慨に襲はれた。堀氏はその精神の健在を自らの身に卽して證示するが如き趣意で、國語の正統表記を以て本著全卷の印刷を斷行されてゐる。その事を以てしても筆者は、この著者の所信とその表明にはうそが無い、眞物(ほんもの)である、との信頼が湧いて來る。この心からの憂國の書の繙讀を廣く江湖に推奬する所以である。

はじめに

　昨今は見るもの聞くもの全て気に喰はない、腹の立つことばかり。電車に乗つても皆一心不乱にスマホで、ゲームに興ずるか漫画のやうなものを見てゐる。新聞や文庫本を読む人などほとんどゐない。それでどうしたと云ふわけではないが、思はず大宅壮一の「一億総白痴化」といふ言葉が蘇る。出来るならなるべく外へも行きたくない。馬齢を重ねるとさうなると聞いてはゐたが、家でテレビをつけても同じである。

　男女問はず喋り倒す人間ばかり､兎に角鬱陶しい。彼らに〝知らない〟といふ言葉はない。所謂「コメンテイター」は半可通を恐れず、俄仕込みの「正論」を吐く。その言葉使ひや饒舌さも聞くに耐へない。彼らの「正論」は当事者の事情や苦衷など一切考慮しない、独断による善悪二分の一刀両断である。それでは解決出来ないといふのが、人生の機微ではなかつたのか。そこには複雑に絡み合ふ微妙なニュアンスや淡い陰影といふものがあるはずなのだが、それは無きが如きである。謂はば、赤青黄といふ単純な〝原色〟の世界しかない。

　彼らは〝人に寄り添ふ〟とか〝自分事として考へねばならぬ〟と云ふ。〝原色〟の人間はかういふことがすぐ云へる。だが、自身でそれが出来るのか。私には出来ない。例へば気の毒な人に対して、我々が出来ることとは見て見ぬやうにするだけだ。人への批判や「正論」を云ふのは容易い、だが画面の中で自身だけは聖人君子か正義の権化の如く振舞ふ姿はどこか絵空事である。彼らに生きることの虚しさや孤独、そして運命への畏れといふものを感じることはない。不可知なものがあつてこそ人生だが、それは無きが如き虚飾の世界に生きる人間は、自身も虚飾しないと生きられないのだらう。

だからかういふ人間に限つて、大上段に「自由と民主主義」、「平等」、「人権」ばかり喋々。その「正論」に加へて、最近はグローバリズムを基調に男女区別なくＬＧＢＴ等マイノリティを尊重せよと云ふ。また「地球市民」などといふ無国籍な「概念」が慫慂され、どこでも大手を振つて歩いてゐる。誰も正面から否定出来ない「正論」ほど、手に負へないものはない。かかるものが唱道されればされるほど、実現し得ないことは自明となり、却つてその矛盾を露呈し道義的頽廃を惹起するといふのが通例である。

本来我々の存在といふものは、歴史と伝統に根差したもの以外に根付くものはないはずだ。特にかかる欧米流の茫漠たる「概念」への盲目的な受容と称揚は、短慮かつ極めて危険と云はざるを得ない。だが、これらの「概念」がいつの間にやら猖獗を極め、我々の生活や慣習まで変へようとしてゐる。気が付けば我々自身も、かつて当然の如く従つて来た規範や慣習から遥かに遠ざかり、孝養や長幼の序、惻隠の情といふものを考へるやうな思想や教育は今日存在しない。まして「国体」を考へる人は、何処にゐるのか。親子兄弟であつても「平等」であり対等の立場で、同一次元で考へるやうな時代である。皆が「平等」であれば言葉使ひも自然と粗雑になる、勿論敬ふこともない。

かかる状況に絶望しつつ、家人にさへそれを自覚させ得ない自身の無力を考へることは辛い。今も孜々として書き続けてゐるのは、私にはそれしか出来ないからだ。三島由紀夫が云ふやうに「（変革とは、）このやうな叫びを、死にいたるまで叫びつゞけることである。（中略）うまずたゆまず、魂の叫びをあげ、それを現象への融解から救ひ上げ、精神の最終証明として後世にのこす」ことを思つたからである。彼自身この言葉の通り、「その（変革）ための行動とは、死を決した最終的な行動しかなく、それまでの行動類似のものはすべて訓練であり、（中略）『稽古』にほかならない」と規定し、市ヶ谷で蹶起した。

元より私には彼の如き覚悟はない、だが「一つの叫びを叫びつゞけ」、「精神の最終証明として後世にのこす」ことは出来ると思ふ。これまで長く「国体」と「国防」、つまり日本の「脊椎」といふものを考へ続けて来た。本来、それは「国体」を顕現されてゐる天皇陛下を中心に置かねばならないはずである。しかし我々の基本法たる憲法に、かかることは一言も言及されてゐない。

占領中にインスタントに書かれ、その時の間に合はせの「当用憲法」（福田恆存）が、七十数年を経てまだ生きてゐる。自衛隊も同様、その時の間に合はせの〝当用軍隊〟であつたが、これも半世紀以上存在してゐる。また「国体」の根幹たる最重要の国語において、正仮名は放逐され、「現代仮名」といふ非合理かつ退嬰的なものにすり替へられてしまつた。そして国語は日本語となり、国史は日本史となつた。

この憲法により、国民自身が戦争の〝被害者〟から「主権者」といふものに祭り上げられ、旧憲法の「主権者」と誤解された天皇陛下は「人間」となり給うた。それを我々自身が「民主化」と呼んでゐる。今や畏れ多くも陛下は、国家元首でも大元帥でもなく「象徴」に過ぎない。「主権者」たる国民は、「基本的人権」により皆平等であり自由と平和を享受する権利があるといふ。或る意味、国家の存立や将来に関係なく、自分の為だけに自律的に生きればいいのだらう。

現在、天皇陛下の御為、御国の為に何かを為す、もしくは尽すと云へる人は何処にゐるのか。そのなかで唯一、陛下だけが「基本的人権」といふものをお持ちでないが故に、御自身の為ではなく国家国民の為、日々我々の安寧と発展を祈られ、精進されてゐる。比して、我々は無為のまま、この不作法を何とお詫びするのか。だが、さう思ふ国民など幾たりゐるだらうか。

本書を『「無脊椎」の日本』としたのは、本来我が国にあつた国民の精神的支柱「脊椎」といふものが戦後七十有余年を経てほとんど喪失、つまりは「無脊椎」へと変容してゐると考へたからである。これは年々歳々、益々酷くなつてゐる気がする。無論、私如きが幾ら悲憤慷慨しても、それは所詮〝蟷螂之斧〟。だが〝蟷螂〟の微小なプライドは、「反時代」的、「右翼ファナティシズム」等何と云はれようが、決して趣意を枉(ま)げて迎合しないことである、窮してもその為の売文はしなかつた。

新型コロナウィルスが猖獗を極め人心の荒れるなかでの執筆は、私なりの危機意識と使命感でもあつた。その時いつも考へてゐたのは、支那が漢の時代、故あつて匈奴に降つた武人・李陵を弁護したため宮刑となつた司馬遷のことである。宮刑とは別名腐刑。腐木の実を生ぜざるが如き男となり果てる、つまりは男を男でなくすといふ醜悪で奇怪な刑罰である。歴代支那王朝の宦官の全てが、その施術を受けてゐた。

元来、司馬遷は史官であり宦官ではない。李陵の件で武帝の怒りを買ひ、この過酷な運命を甘受せねばならなかつた。死よりも恐ろしい恥辱に塗れながらも、生きて書くといふことは決して楽なことではない。それでも司馬遷が書き続けたのは、父子相伝の事業たる『史記』の完成、それこそが自身の天命と考へてゐたからである。

元より、時代も国も状況も違ふ、まして浅学菲才の身で司馬遷と比するなど僭越の限りである。だが、彼とて当時は眇（びやう）たる一小吏。私が〝蟷螂之斧〟を振るふのも、「蟷螂」にも五分の魂があるからだ。云ふべき時に云はなければ、それは千載の悔いを残す。なにより怯懦となる。「爲すに及ぶべきの時にして爲さざれば、まさに病弊をしてまた救ふべからざるに至らしめん」（佐久間象山）といふことだ。

戦後、我が国は周到かつ巧妙なＧＨＱの占領政策たる、精神的「無脊椎」化を意図した「宮刑」を受け、その状態のままでゐる。だが、多くの日本人は、その非道を責めるどころか当然の如く受容してきた。自身の国を自身で守るといふことすら長く等閑に付せたこと自体、紛れもなく「病弊」そのものなのである。そして、一番大切な自身の日本人たる所以といふものさへ忘却し、今や皆が空疎な「概念」に踊らされながら無国籍なものへと向かつてゐる。

これを一騎当千で阻止しようといふのが、私の竊(ひそ)かな「日本精神」なのである。僻んで云ふわけではないが、今更世間に迎合する気はさらさらない。版元様にも迎合しない、よつて洵に申し訳ないことだが、本著もまたまた売れないものとなるのは必定。〝売れる本必ずしも良書ならず〟といふ負け惜しみだが、痩せ我慢こそ私の信条である。「恒産無くして恒心有る者は、惟士のみ能くするを為す」。

この度も前著に引き続いて、東京大学名誉教授小堀桂一郎先生には過分な推薦のお言葉を戴き、洵に汗顔の至りである。また私も所属する一般社団法人日本経綸機構代表理事の森田忠明、同顧問で国体政治研究会代表幹事の中村信一郎の両老兄、そして畏友稲貴夫元神社本庁総合研究部長にも、変らぬ叱咤激励を戴き、感謝の言葉もない。特に中村老兄には、校正でも多大なご教示を戴き、お手を煩はせた。最後に、いつもながら版元である株式会社展転社相澤宏明取締役会長、同荒岩宏奨代表取締役には上梓まで多大なご苦労とお手数をお掛けしたことにつき、ここに改めて御礼申し上げる次第である。

令和三年十月の佳日　世田谷の陋屋にて

堀　茂

目次

装幀　古村奈々＋Zapping Studio

第一章 「無脊椎」の日本／Invertebrate Japan ――〝高貴な精神〟と〝崇高な義務〟

（初出：『國の防人　第十八号』）

はじめに

「無脊椎」とは文字通り背骨がない軟体動物等の謂である。動物には脊椎動物と無脊椎動物といふ二大分類があるのは周知だらう。我々人間と違ひクラゲやイソギンチャクのやうな不定形でふら〳〵、ぐにや〳〵と動き回るのが無脊椎動物である、比喩的に云へば定見がなく外的要因で如何やうにも変りうる変節漢。それは国家に喩へても同様、あるべき根幹たる精神的支柱がなく、他国の顔色ばかり窺ひながらも利にだけは敏いといふところか。

この〝無脊椎の日本〟といふタイトルで既にお気づきの方も居られると思ふが、これはスペインの思想家オルテガ（José Ortega y Gasset）の『無脊椎のスペイン』からの借用である。オルテガはこの論文でスペインにおける地域的な「分立主義」が根深く存在して、社会のあらゆる階層で統一性が失はれ国家の分断が顕著になつてゐることを分析。その分断がやがてスペインといふ国家からの分離、離脱を生起させ、スペイン人たるアイデンティティも喪失する精神的「無脊椎」状態を創出せしめてゐたのである。

特に大衆（mass）といふ存在が第一次大戦後クローズアップされ、一つの社会現象となり注目された。やがて彼らは普通選挙等の実施により政治をも動かす主要なファクターとなつていく。それを可能としたのは生産手段をはじめとする機械文明の発展と情報手段（新聞、ラジオ等）の発達で、近代工業化社会といふものが出現。都市に人口が集中、それを担ふサラリーマンや工場労働者が増大して新たな社会階層を形成するやうになつたからである。オルテガによれば斯様な社会においては、国民は「大衆」と「少数者」の「二つの要素の動的な集合体」で形成されるといふ。「大衆」は「平均人」つまりは庶民であるが、労働者とかサラリーマンといふ単なる社会的階層を指すのではない。また、それまでの「群衆」といふ量的概念とも違ひ、質的概念として区別されうる。

小論はオルテガが「無脊椎」といふキーワードで近代スペインにおける「分立主義」とその歴史的経緯や実態を分析したやうに、我が国におけるそのファクターを考察するものである。スペイン同様我が国においても大衆の存在が第一次大戦後出現し、「大正デモクラシー」の一翼を担ふ戦勝の「一等国」としての自由と繁栄に酔ひしれた。昭和の御代になると普選実施による政権交代（政友会、民政党）も経験し、本格的な「民主主義」の時代を享受するはずであつた。

だがその後、大恐慌をはじめとする世界的な危機の時代となると、我が国もその例外ではなく、満洲事変、ノモンハン事件、支那事変と国策は武力戦を不可避にした。孤立を強ひられた我が国は、日満支三国連携による「高度国防国家」建設で国難を乗り越えようと模索。かかる危機と困難の時代には、国民の精神的団結とあらゆる「資源」の効率的活用といふものが不可欠であつた。その精神と「資源」を以て戦争に勝てる「総力戦体制」構築に注力してゐたのだが、途上で大東亜戦争が勃発。結果は未曽有の敗戦、国史上初の他国による占領といふ屈辱も甘受しなければならなかつた。

そして七年にも及ぶ他国の占領は、それまで確かに存在してゐた我々の「脊椎」といふものを悉く喪失せしめた。名ばかりの「国際裁判」は大東亜戦争を「陸軍を中心とした一部軍閥による『共同謀議』で始められた無謀な侵略戦争」と一方的に断罪、国民はその〝被害者〟とされた。同時にその〝被害者〟が「現行憲法」により、いつの間にやら「主権者」に奉られ、反対に畏れ多くも天皇陛下が「人間宣言」させられる始末である。当然であるが、これらの「改革」に国民の意思は微塵もなく、すべては米国への隷属化、属国化政策の一つであつた。

驚くべきことに、いまだにそれを我々日本人の主体性で行つたのだといふ主張が存在してゐる。我が歴史と伝統を全く考慮してゐないのは勿論だが、「諸国民の公正と信義」をはじめ、欺瞞を通り越してあらゆる面で虚偽そのものの俄か作りの憲法を信奉する「主権者」は依然多い。自身の「無脊椎」を自覚出来ない人間に、「現行憲法」の「無脊椎」たる所以が理解出来るはずがない。だが、これこそ大衆が自身を「主権者」と錯覚する、我が国の「無脊椎」たる実相なのである。

一・大衆の「優越感と不安感」

大衆の特徴は、「みずからを、特別な理由によって――よいとも悪いとも――評価しようとせず、自分が《みんなと同じ》だと感ずることに、いっこうに苦痛を覚えず、他人と自分が同一であると感じてかえっていい気持ちになる」ところにある。「自分に多くを要求し、自分の上に困難と義務を背負い込む人」と「自分になんら特別な要求をしない人」（オルテガ）の違ひが、「少数者」と「大衆」の分かれ目である。

このやうに大衆は自分には「なんら特別な要求」はしないが、他者にはそれを要求する権利が当然あると思ひ込んでゐる。この態度は参政権の付与による政治への関与が可能となることで、さらにそれを助長させた。その結果、「大衆」といふ存在は誰も統制出来ないくらゐ大きなものとなり、国家自身も制御不能となつていく（現在の米国の分断された状況を見よ）。彼らは自分自身だけは「人物」と盲信する、だから理解を越え敬意も持てない為政者に対しては、いとも簡単に一刀両断で切り捨てることが出来る。大衆が常に希求する「人物」とは他でもなく、自分自身を投影して創出した幻影なのである。結局それは「集団の神話」（オルテガ）でしかないのだが、勿論そのことに気が付くことはない。

仮令（たとひ）「人物」がゐたとしても大衆が、その人物の持つ能力やポテンシャルに理解や敬意を示してゐるわけではない。彼らは自身の価値観や経験則だけでしか見ない。自らの「基準」に適合するかどうかといふだけで、俗受けする愚かな「人物」を礼讃してゐることが多い。確かに、その熱情が最高潮に達した時、政治は動く。だが、その顚末は一時の狂熱として、一番相応しくない「人物」に経綸を託したといふ後悔に苛まれるのが落ちである。皆が気付いた時は既に遅く、国家が破滅への階段を降りた後なのである。

無論これはスペインばかりではない。多くの西欧諸国そして日本も同様。現実に米国、フランス、ドイツ、オランダ、イタリア等ではポピュリスト的指導者が多くゐる。実際彼らは独善を理解し難いレトリックと根拠のない自信で押し通す。冷静な判断があれば彼らが〝まがひ者〟であることは自明だが、「『大衆的ナショナリズム』は都市の人間の極端な孤独から生まれた」（ジークムント・ノイマン/Sigmund Neumann）極めて感情的なものなので、大衆が理性で判断することはない。寧ろ理性的でない自分と同様、断定的で煽情的な独善を振り回す指導者を「救世主」たる「教祖」として希求するのが常である。ある意味、ユダヤ教的メンタリティに近い。

古代ギリシア時代から斯様な為政者は多かつた。二千五百年を経てもそれは変らない。過剰な自己陶酔と自己礼讃は他者を感情的高揚に巻き込み、気が付けば聴衆たる大衆自身が彼との奇妙な一体感（euphoria）を自覚するやうになる。ヒトラーやムッソリーニ、また直近のトランプ支持者も同様で、いつの間にやら誰もがその指導者と同じ思考形態・方法を有する社会が形成されるのである。洗脳と云つていい。

もはや大衆は、只管刺激的、煽情的、もしくは功利的なものにしか反応しなくなる。「『生』への欲望が大衆の中にあまりにもひろがるときには、ひとびとは高次の精神的文化（中略）の目標を見失ってしまう」。その結果「新しい『生』への、支配と権力への、実行への、幸福と快楽へのあまりにも大きな意思が出現する」（ベルジャーエフ /Nikolai Berdyaev）社会を招来し、そこには必ずそれを先導する「笛吹男(pied piper)」がゐる。

大衆は〝気まぐれ〟で〝移り気〟。その〝気まぐれ〟や〝移り気〟も実は、投げやりな現状への不満足の吐け口であり、彼らの心象は常に不平、不満で充満してゐる。何らかの抑圧を感じる場合は勿論、逆に自由すぎる現状に不満を持つのも大衆である。彼らは変化や変革といふ言葉に弱い、自身の「不満」を解消する「変革」を訴へる候補者に入れたがる傾向がある。これは「高度大衆社会」（西部邁）たる現代において特に顕著で、クリントンやオバマ、そして我が民主党政権もそれで勝利した。

だが、大衆はその「変革」が成就しなかつたり、今まで当然の如く享受してゐたものが喪失したりすると、掌を返してその為政者を引き摺り降ろさうとする。そのメンタリティとは「歴史上もっとも不幸な時代として波間に漂っている（中略）現代人に巣くっているあの優越感と不安感という奇妙な二元性」（オルテガ）である。よつて彼らが為政者に「困難と義務」を求めることはない。

二．強制的「無脊椎」化

既述のやうに皮肉なもので、人間とは余りに自由が多いと、却つて自身を制御出来ず自らの放縦にも耐へられなくなり、逆に他者からの強制や拘束を欲するやうになるらしい。エーリッヒ・フロム（Erich Fromm）の云ふ「自由からの逃走」である。いつの時代も「自由の道は困難であり、悲劇的である。なぜなら、まさしく自由の道より責任が重く、英雄的であり、苦悩にみちたものはない」、「あらゆる必然と強制の道は、それより容易な、より少なく悲劇的な、より少なく英雄的な道である」（ベルジャーエフ）からだ。

斯様に「人間にとって、心の自由ほど魅力的なものはないが、だが同時にこれほどの苦しみもない」「大審問官」（『カラマーゾフの兄弟』より）自存と自立の道でもある。故にドストエフスキーが描く「大審問官」の如く、人が「幸福」になる為に自由の「重荷」を取り去らうと願ふものが出現する。だが、それは少数の支配者への「隷従への道」（ハイエク／Friedrich von Hayek）でしかないことを大衆は知らない。

繰り返すが、自由であることは誰しも望む、だが自由であり過ぎると人間は自身でそれを制御出来なくなり、逆に自由から「逃走」したくなる。「必然と強制の道」の方が楽だからである。そして、その「必然と強制」が限りなく進行すれば、ある意味〝完璧な自由〟といふものが達成される。だが、かかる「自由」とは、あらゆる個性や多様性を許容しない、少数の支配者だけの為に生きる奴隷的な無思考状態としてのそれである。端的に云へば、動物的な自由である。歴史がベルジャーエフの云ふやうに「自由の原理と強制の原理の不断の闘争」であるなら、「大審問官」が願つたやうな人間から自由の「重荷」を除去するといふことは、

「かえってそれはさらに大きな隷属状態を生みだす」だけなのである。

例へば今も後継が存在してゐるカルト教団オウム真理教への若者の入信が絶えないのは、自由を享受し過ぎた高学歴の若者の精神的空虚を癒やすものが不在といふ一つの証左ではないのか。精神の安住の地を求めるのは、いつの時代の若者も同様である。だが、強制収容所のやうな処での生活が、「必然と強制」のない「自由」であり精神の救済となるとすれば、それはオウムの狂つたカルマの教義といふ問題だけでなく、それを生み出した社会全体の常識や慣習の退嬰でもある。結果的に彼らが享受してゐる「自由」とは、「オウム」といふ異形の別次元「社会」で、究極の「必然と強制」による動物的「隷属状態」の謂なのである。

仮に国民全体が〝民族の脊椎〟といふものを失ふと、斯様な精神的「無脊椎」状態となり皆が迷走してしまふ。そこに偶々エキセントリックな扇動者が出現すると、大衆は忽ちその「信者」となり、彼らの精神は様々な形態、形状へと「変形」させられ、容易くその世界に引き込まれるやうになる。だが、かかる「扇動者」がゐなくとも「無脊椎」化といふものは容易に達成出来る。我が国の如く敗戦による米国の占領政策は「民主化」といふ〝別名〟によつて、その〝成功例〟となつた。

その結果は、第一に「平等」といふ概念による個人第一主義、〝自分ファースト〟の現出。家族や家といふ社会的最小単位の中でもそれが平然と行はれ、長幼の序や祖先崇敬の念が失はれた。第二に利己主義が自己主張のやうに慫慂され、一切の利他的なものを排除。滅私奉公や尽忠報国といふ利他主義（altruism）は、自己にとつて損か得かしか考へられない現在の風潮のなかでは、あり得ないものとなつた。第三に個人の虚栄心とそれを満足させる社会的経済的栄達だけが人生の目的といふ価値観の瀰漫。それを正当化する詭辯的なレトリックやロジックが持て囃され、ディベイトといふ一種の詐術も有能の証となり、逆に寡黙や沈黙が無能と同義に見做されるやうになる。

その顚末は経済にだけ特化した「町人国家」とか軍事を排除した「ハンディキャップ国家」といふ、「無脊椎」を当然とするやうな概念の〝常識化〟だ。西郷隆盛が云ふ「戦の一字を恐れ」る「商法支配所」国家であり、三島由紀夫が規定した「無機質な、からつぽな、ニュートラルな、中間色の、富裕な、抜け目ない、或る経済大国」である。

今や〝金科玉条〟になつた「民主主義」と我が歴史と伝統に根差した本来遵守すべき規範や規律とは全く関係ない。一般論としても既存の価値や慣習を一擲して、それまでの制度を短兵急に変革、排除することは危殆や混乱を生起させるだけである。GHQの共産主義信奉者が我が国体を完全に無視して、フランス革命同様「浮ついた思い付きや流行の数と同じ程、頻繁大量しかも多様に国家を変革しようと」した結果、「この無原則的安易さのお蔭で、国家の組織と連続性はすべて破壊され（てしまう）」（バーク/Edmund Burke）たのである。

彼らは、フランス革命や社会主義の「理想」こそ人間の侮辱、否定を招来し自由を簒奪するといふことを知らない「人間が自然的存在として完全に自由に、自力で人間的社会を変革することができ、歴史の歩みを変革することができるという信仰」（ベルジャーエフ）者、いや正確に云へば狂信者であつた。

彼らの「自由」とは「自由の自己否定」である、その「自由はいわば自己を喰いつくしつつ、自己を肯定する。いわば内的に自己を焼きほろぼしている状態において自己を肯定する」といふ自己否定する自己を肯定する自由なのである。よつて、この「自由」は「何か最後の、陰鬱な、呵責する自由であり、そこに人間的な個性が委縮し、死滅し、分裂が生じて、自由が強制に変化するところの自由である」（ベルジャーエフ）。

我が国の戦後とは、斯様な空想を信じる他国の共産主義者が創作した「規範」で自らを規定しなければならなかつたといふ屈辱の一言である。だが、それを屈辱とは考へてゐない盲目的な隷従主義者はいまだ多い。ＧＨＱによる「改革」の全ては、かかる「狂信者」により実行された人類「最大のヒューマニズム的実験の一つ」（ベルジャーエフ）であつたと断言出来る。我々は、このことをもつと自覚せねばならなかつた。まして、今もこの「無脊椎」状態は継続してゐる。

三．「完全な民主政治」は「この世における破廉恥の極み」

今や米国製「現行憲法」を基本とした〝自由と民主主義〟による「国民主権」や「基本的

人権」といふ「普遍的価値」が所与となればなるほど、二千七百年の歴史と伝統を有する日本人の日本人たる所以が教育は勿論、社会のあらゆる年代、階層において全く考慮されなくなり、その認識も必要とされなくなつた。ベルジャーエフは云ふ、「人間は最高度に歴史的な存在である。人間は《歴史的なもの》の中にある。そして《歴史的なもの》は人間的なものの中にある」故に「人間を歴史から差別することはできない」。彼は歴史と人との根源的で神秘的な不可分性を説いた、それが民族の精神といふものを形成、醸成して来たといふ。ならば我々日本人も、その不可分性から逃れることは出来ないはずだ。

しかし、今やかかる人と歴史との不可分性はいとも容易く捨象され、「グローバリズム(globalism)」といふ無国籍な「市民」概念が全世界的に喧伝され、それが我々のあるべき姿のやうになり、固有の歴史や伝統はほとんど無視され続けてゐる。その「グローバリズム」を支へてゐるのが「市民」、「人権」といふ概念である。さらに問題なのが、本来的に三権分立にも反する「国民主権」である。この概念は、フランス革命「人権宣言」の残滓に過ぎないものなのだが、我が「現行憲法」では〝亡霊〟の如く再現されてゐる。何故か。ランケ(Leopold von Ranke)の云ふやうに「主権在民ということほど影響を及ぼした政治理念は一つとして存在しない」、だがその本質は「折々は退けられ単に一般の見解を規定するに止まりながら、やがてまたふたたび突発的にあらわれ出て公然と認められ、決して実現されないがしかもいつも人の心に食ひ込んで行く点で、それは近代世界の永遠に醗酵する酵母」なのである。

国民の多くは「国民主権」とは云ひ条、選挙権行使くらゐなものと思つてゐるかもしれない。だが、この〝大義名分〟の下で〝パンとサーカス〟を希求する大衆に媚びるだけの多くの扇動者が現出した。彼らは大衆に媚びるだけではない、多くの支持を集めやがては合法的に政権を簒奪する。多数決といふ合法的な「民主主義」の結果は、それだけでは済まない。やがて彼らは国民に「白紙委任状（carte blanche）」を要求、自身の「王国」を築かうとする。そして、それに歓呼の声で拍手喝采するのもまた大衆自身なのである。「独裁の下での、人民投票は『指導者の欲するところを大衆にも欲せしめる』ための有効な武器」であり、「人民の意思と決断を表わす行動ではなく、人民の『指導者との一体化』を表わす儀式」（ジークムント・ノイマン）と化すわけだ（北朝鮮を見れば分かりやすい）。この個人と国家の一体化こそ政治的平等の究極形といふことになり、全ての個人的自由は喪失させられる。

この平等で「国民主権」を基礎とする「完全な民主政治」を、バークは「この世における破廉恥の極みであるが故に最も恐れを知らぬもの（A perfect democracy is, therefore, the most shameless thing in the world. And it is most shameless, it is also the most fearless）」と喝破した。「完全な民主政治」とは、大衆の意のままに無分別に運営される政治であり、それは煽情的かつ愚劣化の一途を辿る。その顚末は、いとも簡単にしかも合法的に独裁者を選出し、彼をして極めて容易に「主権者」の地位に就かしめる。独裁は「民主主義」を種子として咲いた毒花である。

我々は既に歴史から独裁者の多くが、感情も露はな無教養で粗野な人格の所有者で、ほとんどが幼少より癒しがたい嫉妬と尽きることない野心だけをパワーの源泉にしてゐたことも知つてゐる。だから彼らは権力掌握後、自身と最も隔絶する高貴で高徳な名誉を享受する者を必ず排斥、もしくは粛清する。フランス革命やロシア革命の後の王族等高貴な人々への無慈悲な虐殺も、かかるメンタリティに由来する。王政打倒後の「民主政治」は、必ずそれ以上の暴政になるといふ教訓である。

「ギリシア的洗練とローマ的堅固の傑作である人民統治」の嚆矢たる彼の地（アテナイ）でも、専制から「人民統治」への転換が逆に人々を放縦、奢侈、怠惰にさせ、やがて労働も放棄して国防や名誉についても一切関心を寄せなくなつていつた。その結果、政治は「技巧を弄する人が人気を博し、人民は自分の手中に権力をにぎって、その権力のかなりの部分をかれらが気にいったものにゆだね」た。そして、その「気にいったもの」が最終的に行ふのは、「それをあたえた人々を奴隷状態におとしいれる」（バーク）といふ恐怖政治である。

本来、民主政体における政治権力は「かれらの自由になる特定手段の管理においてのみ、無制限でなければならない」。これは主権の存在を許容してゐるといふことではなく、「特定手段の管理」といふ限定された政治の方法論についてのみ制限を外すといふ意である。だが大衆の願望は「存在するどんな権力も人民の手にあるべきであり、しかも人民の願望は多数決によって表現されねばならないだろう、という信念にあるのではなく、この根本的な権力源が無制限でなければならない、という信念、すなわち、主権概念それ自体にある」（ハイエク）のだ。

実際「無制限の権力源のいわゆる論理的必然性はまったく存在しない」（ハイエク）のだが、我が国のやうに国会に「国権の最高機関」といふ不可侵の権威を与へるなら、「主権」は国会に存すると規定することも可能である。それは現行憲法の「主権者」たる国民が選んだ議員の集合体たる国会の決議は全て「主権者」の総意であるといふ理屈が成り立つからだ。為政者がそれを「一般意思」とするなら、「特定の手段の管理」を越え国民に圧政を齎すものであつたとしても、国民は何ら異議を唱へることは出来ない。

幸ひなことに我が国は立憲君主国であり、議員内閣制を維持してゐる。この制度により、首相といへども党や閣議の決定がなければ勝手に法案も提出出来ない。また、衆参両院の審議を経て法案成立後も実質的な「国家元首」たる天皇陛下の御名御璽が必要である。各閣僚の認証、外国大使の信任もさうだが、これらは単なる儀式ではない、「国事行為」といふ立派な政治行為である。決して機械的儀礼的なものではない、陛下のご意思といふものが確実に存在してゐる。故に、これらの「行為」がなければ法案はすべて無効となる。つまり、共和制国家の如く大統領の勅令だけで法律が施行されるやうな無制限の「主権」行使がない。立憲君主国の貴族制度や、二院制の立法府、そして議員内閣制は、決して独裁的指導者を出さないといふ文明の叡智なのだ。

四．文明的叡智としての貴族制度

オルテガによれば、貴族とは単に財産や教養の持ち主ではないし、政治権力を行使するものでもない、それは「内発的な活力にみちた生の実行者であ（る）」り、「自分自身をこえ、すでに獲得したものをこえ、自己にたいする義務や要求を課したものの方へ進もうと、つねに身構えている」人間である。本来「われわれの生は、必然的に根本的に孤独であるが、たえずそれに劣らず、われわれはこの孤独の深底から根本的な共存と社会への憧憬のなかへ浮かびあがる」（オルテガ）、しかしそれは生が「孤独もしくは絶望という生の根本形式から出発しない限り、自我の純正な基盤はえられないし、それがえられなければ真正な文化もつくられない」（西部邁）からだ。貴族とは少なくともその孤独や絶望を利己主義や唯我主義に転化しない人々である。

西欧における王族やそれの藩屛たる貴族、軍人等は、長い年月をかけてその存在理由を自己犠牲たる〝崇高な義務〟（noblesse oblige）といふ概念で担保して来た。それは謂はば「名誉の血統」の証明であり、決して一朝一夕では確立出来ない連綿たる歴史なくして存在し得ない。それが騎士道であり、我が方においては武士道がその対比であらう。武家社会では主君を頂点とした主家の永続繁栄の為に家臣は存在してゐたし、俸禄も現代の如く単なるサラリーといふ労働対価ではない。「舊に仍て上より其祿を下し置るゝこと、人君天意を奉承して行ふ所にして、限りなき厚恩」（吉田松陰）なのである。

武士は宮中の堂上衆とは違ふが、その精神構造は全く貴族そのものであつた。明治維新後新たに貴族制度を整備したのは、それが立憲君主国としての要諦であり、民権の拡大だけでは政治はうまくいかないといふことを明治政府が理解してゐたからである。貴族制度（貴族政治ではない）は、封建時代の遺物では決してない。現代のやうな「民主主義」の時代においても、出来得る限り衆愚政治に堕さしめない文明の叡智である。英国やベルギー、オランダ、ルクセンブルグ等が今も貴族制度を維持してゐるのは、単に既得権益としてだけではない。フランスには既に貴族制度は存在しないが、子孫がそれを名乗ることは許可してゐる。これは共和制フランスの後悔の一つであらうが、意味がある。身分的特権はなくても、精神的特権はいまだに付与して、その存在意義を確認してゐるといふことだ。

君主制において国王への忠誠と自己犠牲は、貴族たるべき「名誉の血統」の存在が不可欠であり、王室の藩屏たる貴族とその制度は君主制を継続する限り、それと一体であらねばならない。西欧諸国はそれを理解してゐる故に今も貴族制を維持してゐる。それに比して、戦後我が国が追求した経済的富裕には〝高貴な精神〟や〝崇高な義務〟といふものはないし、またさうなることも希求してゐない。

「民主主義」とは云ひ条、現代ほど「人のいのちを大切にせず、物のいのちも大切にしない」貪婪な時代はない、封建時代の方が「華美を排してつゝましく、義を重んじて人格を尊重し（中略）人と自然を一如に見た」（保田與重郎）時代であつた。保田の云ふ「自然」は「歴史」と置き換へてもいい、それはベルジャーエフの規定する「人と歴史」の一体性に通底するやうに思ふ。スペインの「無脊椎」が「分立主義」に由来してゐるとすれば、我が国のそれは歴史と伝統の等閑による、貴族的精神の喪失といふことに尽きる。

をはりに

貴族的精神といふものの醸成には、それを継承する何世代もの人間が存在したといふ歴史的事実が必要である。幸運なことに、我が国では現在も五摂家、清華家はじめ旧「華族」の方々が数多く存在してゐる。ＧＨＱの暴挙から七十有余年もの時間が経過してゐると云ふ人も多いが、私から云へばまだ百年も経つてゐない。これは二千七百年の歴史から見れば、ほんの「一世の事」（吉田松陰）である。政府は歴史と伝統尊重と云ひ条、皇位継承（男系維持）安定の為の明確な施策を一向に打ち出せずにゐる。世論の理解も疎く、単純に長子相続とか男女平等から女系容認の声が大きい。

現在、天皇家と国民の間には如何なる階層も存在しない。本来、君主国といふ体制は貴族が存在してはじめて存立し得るものである。貴族不在の君主と庶人だけの二極構造が君主制そのものを脆弱化させていくのは当然である。今、我が国には天皇家をお守りする人々がゐない。皇室不要論や共和制支持といふ反国体勢力でなくても、現行制度だけではその維持が困難なことは自明である。

畏れながら私が一番懸念するのは、天皇陛下に胸襟を開き何でもご相談出来るアドヴァイザーとでもいふべき年長、ご同輩のご親戚がほとんどいらつしやらないことである。本来それを担はれるのが、各宮家はじめ、五摂家、清華家等の方々の使命と思ふ。これは政治的な輔弼、軍事的な輔翼ではない、極めて私的な信頼関係による〝ご相談相手〟といふ意である。敢へて云へば〝私的輔弼〟であり、我々庶人がこれを務めることは出来ない。かかる存在の不在は、畏れながら陛下をして孤立かつ無援と遊ばしむ。陛下にはお身内のなかで、それぞれの専門をお持ちの〝ご相談相手〟が絶対必要である。勿論、陛下のご公務の負担軽減やそのご名代といふこともある。

皇統維持の問題だけでなく「華族」の復活は、国民に今一度〝高貴な精神〟と〝崇高な義務〟といふものを認識させるはずだ。天皇陛下の御稜威（みいつ）も陛下の藩屏たる多くの方々がをられてこそ、さらに輝く。それを仰ぐ我々庶人も、〝高貴な精神〟の意味や、〝崇高な義務〟の何たるかを知ることにならう。その精神こそが、国体の精華を発揚する国民の「脊椎」となる。天皇陛下を中心に八紘為宇の精神を敷衍するといふことは、国民が陛下と共にその精神を体して、国家に対し出来うる義務を果たすことである。

人は社会（他者）の為に働き生きてこそ、自己を生かす道を進める。自分の為だけに生きてゐる大衆に、利他主義や自己犠牲の精神は理解出来ない。最後に是非言及せねばならないのは、日々命を的に精進してゐる自衛隊である。自衛隊が晴れてその威容を天皇陛下の閲兵の下に御稜威を仰ぐ時こそ、彼らが軍人として誰の為に死すべきか身を以て自覚する日である。その時こそ自衛隊が陛下統帥の真の国軍として復活する日に他ならない。彼らが担ふ〝崇高な義務〟こそ国の名誉と誇りであり、更に云へば〝高貴な精神〟の顕現となる。

〝高貴な精神〟といふものは全国民が仰ぐべき「脊椎」なくしては存在しない、それは大衆からは決して生まれ得ない。天皇陛下をはじめ皇族、「華族」の方々、そして国軍の存在といふものが日本の「脊椎」であり、端的に云へば「惟神(かむながら)の道」となる。その先頭に立たれてゐるのが陛下である。我々も皇祖皇宗を敬ふ陛下の御稜威を八紘に広め、皆一視同仁となす肇国の精神と一体でなくてはならない。日本の「脊椎」といふものは、それを体現されてゐる陛下をはじめとする〝崇高な義務〟を畏れ多くも負はれてゐる方々があつてこそ、国民も拳々服膺すべき〝高貴な精神〟として継承されていくのである。

第二章　「不敗」の精神が「泰平」を実現する――同盟を越えて

（初出：『國の防人　第十九号』）

はじめに

幕末に吉田松陰が鎖国による渡航禁止といふ当時の国法を犯しても、それを試みたのは「将に三千年の皇国に関係せん」大事であり、「徳川一世の事」など比すべきもなかつたからである。悪法も法なりと云ふが、それを墨守するだけで国体が護持出来るなら、これほど容易いことはない。これは現在も同様で、「現行憲法」を遵守するだけで平和と安全が保全出来るなら何の苦労もない。

当然ながら「現行憲法」も「一世の事」である。しかも戦勝国の驕慢により強制された「一世の事」であり、我が三千年の国体とは全く相容れないものであるのは勿論、抑ゝ纔(わづ)か二百年余の経験しかない国に我が国体の何たるか、この悠久の歴史と伝統といふものを理解することは実際ほとんど不可能であらう。

畢竟「現行憲法」とは、他国による一国の「主体性」剥奪に止まらず、ひとつの文明への野蛮行為であり、その証拠そのものである。この憲法の有り得べからざる変態的表現の醜悪さもさることながら、軍事外交といふ国家の根幹が他国の存在、もしくはそれへの実質的な隷従がなければ全う出来ないといふ罪悪であり、かつ他の米国の同盟国のやうに単に国力の差といふ次元では済まない、自存自衛の精神の毀損であつた。

日本人自身がそれを所与として半世紀以上受容したといふことに様々な問題はある。だが、さうせしめたのは全く偶然の所為である。端的に云へば、当時の米ソ二大国間の「冷戦」といふ〝安定装置〟が作動してゐたといふことに過ぎない。このメカニズムにおいて、我が国はその従属変数にもならなかつた。確かに安保条約による米国の軍事力提供は、巨大な経済的メリットを齎し、我が国は経済大国へと発展した。だが、その帰結は本来我々が有してゐた尚武の精神といふものの放棄である。歴史的に武を軽視する国に、文の興隆は無い。文が無いといふことは、徳も無いので畏敬もされない。

一般論として、覇権国ではない従属的な国々は同盟が存在する故の、〝巻き込まれる恐怖〟と〝棄てられる恐怖〟の狭間で常に動揺する。〝巻き込まれる〟といふのは、戦争等覇権国の紛争に、といふ意である。仮令直接ではなくても間接的に〝巻き込まれ〟、人的物的貢献を迫られることもある。他方〝棄てられる〟といふのは、自国の死活的危機に際して覇権国が自身の望む援助をしてくれないといふことである。故に従属的な国は、それを回避する為平時から人的交流（駐留軍等）や装備品の購入など、覇権国への政治的経済的メリット付与に腐心しなければならない。

斯様に同盟がプラスにばかり作用するわけでない、当然マイナスもある。それでもいつの時代にあつても同盟が存在するのは、国家といふものが存在し、その本質が変らないからだ。これからも国家同士の葛藤や利害得失といふものが消滅することはないだらう。ならば、いつの時代の如何なる国も国益の極大化は、永遠不滅のテーゼとなる。同盟を結ぶも破るも、全ては国家生存と国益の為であり、国家の存在あつてのことである。

小論は日米同盟はじめ同盟といふものの本質を考察することが目的だが、その実態や様相は歴史的にも複雑かつ多様、千差万別である。ここで言及出来るのは、そのほんの僅かの一側面でしかない。その上で、どこまで本質に迫るエッセンスを論じられるか否かは分からない。しかしながら読者諸氏の幾人かでも、同盟といふものを再考する契機となるのであれば、それで小論の目的は達成されると思ふ。

一・「国家意思」の喪失

今日我が国では誰もが、軍事・外交の基軸を日米同盟と云ふ。それは当然と云へば余りに当然のことのやうになつてゐて、それ以外に云ふことがない。本来なら同盟の前に自身の国益に基づいた軍事・外交政策といふものがあつて、それを補ふために同盟といふものがあるはずだ。だが、我が国では政治家はじめ国民の多くが、その主客が全く転倒してゐることに何の違和感もない。

これを屈辱とみて所謂「対米追従」を批判する勢力が、一応右にも左にもある。それ故に自衛隊の「戦力」を格段に強化しようといふのであれば分かる。だが左の人々の主張は日米安保を破棄して自衛隊を縮小もしくは解消である。では、それで丸腰になつた我が国が、非同盟の中立国としてどう生存していくのか。その顚末は自明で、米国以外の大国の〝餌食〟となるしかない。彼らは米国より、中共への従属の方がましと考へてゐるのであらう。

他方、右の人々は自衛隊の「戦力」向上だけでは済まない。憲法改正による国軍再建であり、独立自存の主権国家としての「主体性」の恢復である。そこまではいい。では、その時米国との関係はどうするのか。いつまで米国の同盟国であり続けるのか、その辺は仮定の話も多く極めて不明瞭である。勿論、中共やロシアのやうな実質的な独裁国家がなくなるわけではないし、日本がいきなり米国に比肩する軍事力を持つことも不可能である。だとしたら、すぐに同盟関係を解消することが現実的でないのも又自明となる。

今もさうだが、最強国との同盟は一種の「バンドワゴン」であり、自主防衛の足らざる部分を補ふ必要は確実にあらう。その要諦は他国との同盟関係は成立してゐても、最低限自主独立を貫徹出来る独自の抑止力の保持といふことに尽きると思ふ。明治維新以来、我が国は「脱亜入欧」を目指して先進国たる欧米との友誼を重ね、「富国強兵」により二つの戦争を勝ち抜き、それを実現した。

彼らとの同盟は、それを証明するものでもあつた。日英同盟、日独伊三国同盟はそれぞれ性格や位置付けは大きく異なるが、何れも「同盟」を梃にしたバランス・オブ・パワーによる軍事外交であつた。だが、締結した同盟もいつかは必ず終焉する。ならば同盟の有無に拘はらず独自の国防思想、戦略といふものが不可欠なのは贅言を要しない。だが、それを描ける人間は石原莞爾の出現を待つまではゐなかつた。当然乍ら、今もゐない。

　敢へて云へば、その唯一の先駆的な例外が佐久間象山である。「人はその畏るべきを見ざれば、必ずこれを漫易（軽侮）す。一たびその慢易の心を啓（ひら）かば、又何を以てか能くこれを治めんや」と警鐘した象山は、国防の要諦を「抑止力」の保持により敵に「漫易」させないこととした。また「夷俗を馭するは、先づ夷情を知るに如くはなく、夷情を知るには、先づ夷語に通ずるに如くはなし。故に夷語に通ずるは、ただに彼を知るの階梯たるのみにあらずして、またこれ彼を馭するの先務」としたのは、単にインテリジェンスの重要性といふだけでない、「夷の術を以て夷を防ぐ」為である。これは百五十年経つても変らない。象山の最終的な目的は、天朝の徳を以て「夷俗」をも感化するといふ「道義国家」建設といふことであつた。

　象山の精神を引き継ぎ、明治政府が欧米列強の軍門に降らず独立自尊の精神で二つの戦争を勝利で飾り、遂には大陸経営を志向したのは、雄大な構想であつた。英国同様、国力をつけた島国がその狭小な国土から世界への雄飛を志すのは自然なことである。単に時代が帝国主義であつたからといふやうな話ではない、古来日本人に内在する壮大な気宇といふものが横溢したといふことだ。少なくとも大東亜戦争までは斯様な精神は継承され、国家の「主体性」といふものが確固として存在してゐた。「国家意思」と云つていい。

だが、大東亜戦争後、我が国は沈黙。対外的には勿論、国内でも「主体性」といふものを一切、表出しなくなつた。常に米国の陰にゐたといふことだ。それは意図的といふより、むしろさうしない方がいいといふやうな感じである。仮令何かあつたにしても、只管何かを恐れ「不戦」とか「平和」といふ観念的な現実を逃避する空論ばかりを喋々、自らが過酷な現実の中に入り込む知恵と勇気は全くなかつた。それを端的に云ふと、尚武の精神放棄に由来する「国家意思」の喪失といふことに尽きる。

二．同盟の本質

同盟といふものは古代ギリシアの都市国家の時代からあつた。紀元前五世紀のペロポネソス戦争は、アテナイ（アテネ）を中心とするデロス同盟とスパルタを中心とするペロポネソス同盟の諸国家間の戦ひであり、そこにペルシアも一枚加はるといふ錯綜した様相を呈してゐた。現代とほとんど変りはない。海洋国家アテナイと大陸国家スパルタの対峙といふのも、米国を中心とした資本主義諸国とソ連を中心とした共産主義諸国の「冷戦」を彷彿させる。

奇妙なことに現代の諸国家や同盟より、古代ギリシアの諸国家の方が、自由闊達な躍動や高揚といふものを感じさせるのは何故だらう。共産主義のやうな独善的なイデオロギーに拘束されてゐなかつたことや、原初的とは云へ市民に政体選択の自由といふものがある程度担保されてをり、同盟に関しても我々の想像以上に主体的な合従連衡があつたといふことかもしれない。勿論、現代の如く「核」をはじめとする原始的戦闘の時代とは比較出来ない多様で複雑なファクターの存在といふ違ひはある。だがそれらを差し引いても二千年以上前のギリシアの方が、それぞれの「国家意思」といふものが明確に表現されてゐたやうに見える。

比して、「冷戦」時のソ連の圧倒的パワーは、如何なる状況でもチェコやハンガリー等小国自身の「意思」、特にイデオロギー的自由といふものを一切許容しなかつた。軍事力での「反乱」制圧は、世界的な非難を浴びたが、ソ連は歯牙にもかけなかつた。だが、「冷戦」の〝安定装置〟たる所以はここにある。一つの極における圧倒的パワーの存在は、他の同盟国への生殺与奪権を掌握せしめ、結果的に共産主義諸国家間の軍事的衝突、さらには米国をも抑止し得たといふことである。

同時にソ連以外の同盟国にとつては、同盟と云ひ条、主権は無きが如きで、離脱といふ選択肢も無かつた。その隙にライバル米国が、「中ソ一枚岩」に見えた中共を自陣の側に引き込む、〝敵の敵は味方〟といふ兵法を実践。お株を奪はれた毛沢東は米国の偵察衛星等技術力に驚愕、米中は対ソ抑止で一致した。これは実質的に朝鮮戦争の終結であり、米中は互ひに敵ではないといふ認識の共有である。これは同盟の感覚に近い。この瞬間から「冷戦」の勝負はついてゐたと云つていい。

通常、同盟や協商（entente）への動機は、その時々のバランス・オブ・パワー（勢力均衡）に大きく関係してゐる。第二次大戦前、常識ではヒトラーとスターリンの「独ソ不可侵条約」

（一九三九年）は本来有り得ないものであつたが、それは英米に対するイデオロギーを越えた時務的連携として結ばれた。同じく英国とソ連の連携も想定出来ないものだつたが、ヒトラーのソ連侵攻でそれは実現した。これらは欧州諸国のオポチュニスティックな、自身にとつてより大きなリスクを回避する為の〝一時的（temporary）〟な約束以上のものではない。

さういふ意味で、上記のやうなオポチュニズムではなく、米国のスパイクマン（Nicholas J. Spykman）の日米同盟論は異彩を放つ。彼は第二次大戦中に米国と日独の連携を主張した。我が国なら彼の言説は〝気違ひ〟扱ひされてゐたであらう。彼の意図は時務やオポチュニズムを超えた地政学的見地からの提言であつたが、周知のやうに独ソは相互不可侵を約し、ソ連は我が国と「日ソ中立条約」（一九四一年）を結んだ。だが、そんな事は関係なくヒトラーはポーランドからソ連へ、スターリンは東欧そして満洲へ侵攻した。国家間の条約など一片の反古以上のものではないといふ独裁者の認識の前には、スパイクマンの地政学も効力はなかつた。

本来、同盟の動機は、利害得失を同じくする国家間の連携であり取極めであり、非常に時務的かつ相対的な関係として結ばれる。なかでも独裁国家は、それに加へて指導者の恣意が決定的要素となり、極めて可変的である。他方、国家の本質が権力による人民への支配・統制といふことは不変である。それはギリシアの時代から同様で、専制的な国家であらうが民主的な国家であらうが、その本質においては変らない。その目的は国家の隆昌であり、経済的文化的発展さらには地域における軍事的な覇権の掌握である。

それらを達成する為には、専制だらうが民主制だらうが、それは「国家意思」といふものにとつては方法論の問題に過ぎない。他国との同盟も同様である。権力は国民の意思が民主制であつたとしても、それが国家目的を阻害するやうなものなら（その判断も極めて恣意的であるが）、彼らは決して専制を已めない。現在の中共やロシアを見れば分かる。「自由と民主主義」が国家のあるべき統治形態などとは決して考へてゐない。だから敵の「敵」（それが専制的な国家であつても）が存在すれば、「敵」との同盟も厭はない。

三．同盟の力学

かつて日英同盟（一九〇二年）は英国にとつて東亜におけるシー・パワー維持（当時英国はTwo Power Standardといふ他国の二倍以上の海軍力保有が国策であつたが、その維持が困難となつてゐた）の為の日本選択であつた。ドイツ、フランスを横目に見ながらの対露抑止であり、我が国にとつては対露戦に備へた強化策といふことは云ふまでもない。

この同盟は三度改定され、「攻守同盟」として有事には日本が英国を助ける必要もあつた。日米同盟同様、日英同盟は「帝国外交ノ骨髄タルハ復タ贅言ヲ要セズ（中略）今後永ク該同盟ヲ継続且益々之ヲ鞏固ナラシムルノ方針」（小村寿太郎）。つまり日本外交の当然自明の原則となつてゐたのである。だが、その願ひは叶はなかつた。

これに米国を引き込むといふ構想もあつたが、支那、滿洲における利権に関して日米が徐々に対峙するなかで英国がこの同盟を維持することは困難となつてゐた。結局、四ヵ国条約（一九二一年）、九ヵ国条約（一九二二年）締結で、所謂「ワシントン体制」が構築され、日英同盟は二十年で終焉。我が国は孤立無援となつた。当然ながら、国際政治における合従連衡は冷厳なバランス・オブ・パワーで決まるのだが、二十世紀になつても依然欧米中心主義と有色人種排除は続いてゐたといふことである。

「ワシントン体制」以後、英米を中心とした経済的排除を受け我が国は独自の「日満支」といふブロック体制を構築、それを補ふ意味で同じく英米と対峙する独伊との同盟を結んだ。だが、その同盟は実質的には全く無力であつた。軍事同盟とは言ひ条、全く軍事的に機能しない同盟である。我が国はノモンハン事件で懲りてゐることもあつたが、独軍のソ連攻撃に呼応出来なかつたし、対米戦では独軍との共同作戦も実行出来なかつた。

比して、米国との「同盟」は戦勝国と敗戦国といふ非対称性を起源としてゐる。よつて必然的に外国軍の占領継続といふことになつた。だが、この状況は我が国の主権恢復後も変ることなく、今も五万人以上が駐留してゐる（正確な数は軍機なので不明）。勿論、それが我が国防の足らざる部分を補ふ為の「抑止力」向上となつてゐるのは事実だが、いつまで経つても他国の軍事力ばかり当てにしてゐるので、肝心の国益を勘案した自前の国防計画といふものが全く出来ない。ここが日英同盟や日独伊三国同盟とは、大いに違ふ処である。

また、今でこそ日米同盟と堂々と云へる時代であるが、かつてはそんなことを口に出したらすぐ政局になる時代が長くあつた。「同盟」といふ用語は「核武装」同様タブーであり、単に日米安保としか云ひやうがなかつた。それがやつと、鈴木善幸内閣以後使用されるやうになつたのであるが、彼の意図は全く違つてゐた。鈴木が口にした「日米同盟」とは経済的紐帯強化といふ意味で、そこに軍事的意味合ひはないといふことだつた。これは国際政治の非常識だけでなく、「現行憲法」を盲従する「軍事忌避」といふ精神的退嬰の極みである。かかる認識を示した結果、鈴木は保守、リベラル両方から叩かれた。だが、当時自民党さへ「同盟」といふ用語が堂々と使用出来なかつた主な理由とは、それを使用すると〝米国の戦争に巻き込まれる〟と云はれ続けた「集団的自衛権」容認に繋がるといふことであつた。現在でも、それは完全な形では払拭されてゐない。

しかし斯様な紆余曲折が多々あつたにも拘はらず、現在この同盟は、安倍晋三元首相が限定的ながらも「集団的自衛権」を容認したお蔭で、今や日米だけでなく欧洲を含む民主主義陣営の中軸として「インド・太平洋」における対中抑止、及び対露抑止の要といふ成長を遂げてゐる。約八十年前、日米同盟を予見したスパイクマンの卓見が、二十一世紀になつて現実となつた。

四．同盟を越えて

この「インド・太平洋」といふのは、安倍首相（当時）のイニシャティヴによる、日本外交史上空前の構想である。その範囲も地球半分くらゐの広大なエリアを想定してをり、それを日米主導で印度、豪州も加へた連合で連携するといふもの。これに英国、フランス、さらにドイツ等も加はれば、NATO以上に地球規模での力を発揮するポテンシャルがある。

それは勿論、NATO同様米国の圧倒的な軍事力維持といふことが前提であるが、米国もかつてのやうな「二正面作戦」は不可能である。今では一つだけでも荷が重いだらう、日本の役割が増加することはあつても縮小することはない。故に、最低限現在の国防予算の二倍（GDP比二％）を以て、これを実行する覚悟が必要である。

このQUAD（日米豪印）で余り指摘されてゐないことだが、メンバーがアジア二国と非アジア二国といふ構図は留意すべきである。オーストラリアは地理的には「アジア」であるが、英連邦の白人国家であり純然たるアジアではない。その大英帝国の長い支配に呻吟したインドが存在することは日本にとつて大きな意味がある。この連携によつて、中共は戦略的に日印両国に挟撃されうる位置にゐることになるからだ。

「二正面作戦」を強ひられることは如何なる国にとつても最も避けるべきものであるが、対峙する二国にとつては最良の策となる。他方、米国の同盟国たる韓国は既に中共側に軸足を置き、実質的に中韓は反日で「一体化」。米国もほとんど見限つてゐるやうに見える。我が国にとつても、同盟国の友邦と云ふより中共同様厄介な国となつてゐる。所謂「アチソン・ライン」が三十八度線から対島以北に下がるといふことは、そのまま我が「利益線」の後退といふ戦略的脅威の拡大であり、国防上では「主権線」との近接といふ危機でもある。

名目上「日米韓」連携は存在しても、米国にとつて東アジアにおける信頼し得るパートナーは日本しか選択肢が無いといふのが現実である。これは日英同盟締結時の英国の状況と相似してゐる。当時の我が国も国力不足であつたが、自存自衛の独立国、かつ対等の同盟国として英国を選択した。その例に倣へば、我が国は米国の存在を所与とするのではなく、独自の抑止力の保持といふことを今こそ真剣に考慮せねばならない。端的に云へば、それは依然として「核」の保有といふことである。

勿論、その方法論が問題であり、その「持ち方」も色々とあるはずだ。そして最も考慮せねばならないのに、ずつと等閑に付されてゐることが一つある。日本はアジアでありアジアの日本であるといふことである。明治維新以来、非欧米諸国の盟主として牽引を続け、欧米の野蛮を阻止しアジア支配を終焉させるといふ歴史的使命の最終形として大東亜戦争はあつたのではないか。現在のやうな欧米の「価値観」への無原則な迎合ではないはずだ。同盟を利害得失だけで結ぶのも不道徳だが、「価値観」だけで維持するのも見識が無さ過ぎる。

日米同盟が戦勝国の敗戦国への保障占領といふ片務的なものから出発し、今も米国の世界戦略の一環として機能してゐることは事実だが、少なくとも相互防衛を可能とする形態の端緒には着いてゐると云へよう。いまだ完全な双務性には遠いが、その距離は少しづつ縮まつてゐる。同盟は確実に深化、発展してゐるが、だからと云つて違ふ二国が全く同じ「価値観」である必要もない。「価値観」で云ふなら、米国の二百年より我が三千年の国体といふものの再考である。すなはち天皇陛下を中心に君民一体を基礎とする道義と道徳こそ世界無比といふことを、我々自身が再認識すべきである。

をはりに

「自由と民主主義」は今やあるべき「普遍的価値」になつてゐるやうだが、所詮欧米人が信奉する価値や概念であつて、それらを他民族へ強制的に敷衍するといふ「天意」、〝manifest destiny〟が底流にある。その本質は自国の利益を第一義としながら、さうとは見えないやう少しづつ侵食していくといふ「やり方」である。我々が理想とする王道とは大いに違ふ。近代において彼らが有色人種に対して行つたこととは、まづ教会と病院を建設。そこで慈悲忍辱を説きつつ、政治的経済的文化的には支配統制を強化するといふ「二枚舌」であつた。その尖兵としてクリスト教宣教師は存在意義があり、文字通り伝道（mission）といふ「大義」の為に世界中に派遣されて来た歴史を有する。かういふものは東洋の覇道といふわけでもなく、恫喝的な懐柔といふ感じがする。

　これは今も同様だらう。日米安保は米国に日本防衛を義務付けてゐるが、日本に米国防衛の義務はない。一見米国にだけリスクを負はせてゐるやうに見えるので、長い間我が国の負ひ目となつてゐた。だが、この片務性も米国にとつては世界戦略の一環としての国益故に許容されるのであり、まして「専守防衛」が「国是」などと云つてゐる国が存在することで、その駐留はさらに正当化されるだらう。

　斯様に常に米軍の存在を所与としなければならないといふことは、我が国防体制の独立性、自主性の毀損だけでなく、自国を守る意思、国民精神といふものの欠如となる。当然、米国にとつて同盟が継続することは、覇権国としてのプレゼンス向上だけでなく戦闘機、ミサイル等装備体系の共有といふ巨大な経済的メリットとなる。この「やり方」こそ、まさに足元を見透かした「恫喝的懐柔」に他ならない。有体に云へば、〝守つてやるから云ふことを聞け〟といふことである。

　さうなると「懐柔」だけでなく、そこに「強制」が入ることもある。例へばイラク戦争で米国が問うたのは、その戦ひを支持するか否かである。そして、もし支持するなら如何なる協力をするのかといふ高圧的な対応であつた。斯様な二分法（dichotomy）的な白黒つまり「イエス・ノーを明確にするといふ思想は、少なくともわが東洋の文明とその美観に遠く、和より争を好むものの態度である」（保田與重郎）。だが、米国に〝棄てられる恐怖〟に呪縛される我が国は、健気にも決死の覚悟でイラクに地上兵力を初めて派遣したことは記憶に新しい。

勿論、彼らも「平和」を求めてゐるのだらう、だが我々のそれは「泰平」である。「平和」とは〝戦争でない状態〟といふに過ぎないが、「泰平」とは「天道に従つて世界が運行してゐる姿」（保田與重郎）である。如何なる同盟も所与ではない、永遠の敵もゐないが、永遠の味方もゐない。だが、日本はアジアであり、アジアの日本といふことは永劫である。

今後もあらゆる観点から日米同盟は不可欠とならう。だが、国家の「主体性」を半ば放棄した経済的利得だけを追求するといふ「商法国家」（西郷隆盛）のままでいいのかといふことである。その極大化も必要だが、利得だけで自主独立の精神の無い国家は少なくとも国際社会のキー・プレイヤーにはなれない。同盟はあくまで手段である、目的ではない。同盟を越える何か、民族の精神たる「脊椎」といふものの存在が不可欠ではないかと思ふ。

欧米との協調は必要だが、彼らとの越え難い一線といふものは確実に存在する。それを観念的に云へば、我々は欧米的「必勝」ではなく東洋的「不敗」を期す。パワーだけに恃む同盟を所与とするのではなく、「天道」に従ふ道義や道徳を根幹とする我が国体、それを体現されてゐる天皇陛下の御稜威（みいつ）を八紘に遍く敷衍。これが「不敗」の精神の要諦である。この精神は我が国のみが有する絶対的価値として、民族精神の骨髄となつてゐる。そして、その精神を担保する国防体制があつてこそ、「泰平」の世は実現する。

第三章　承詔必謹と「イロニー」としての日本――房内幸成と保田與重郎

（初出：『國の防人　第十四号』）

はじめに

今日、房内幸成（ふさうちゆきなり）や保田與重郎と云つても、一部の学者や研究者以外にどれだけの人が彼らを知つているのだらうか。有体に云へば、この現実がそのまま、戦後の我が国の論壇だけでなく、我が国そのものの現状を如実に現はしてゐる。この二人の残した文学的、学術的業績や思想が「終戦」といふ軍事的な敗北を転回点として、弊履の如く捨てられたといふのであれば、それらは当時の政治を補完、もしくは迎合するだけのプロパガンダとしての価値でしかなかつたことになる。それでは軍事的な敗北以上に、日本人自身が精神としての敗北も認めざるを得ないだらう。多くの学者、思想家、ジャーナリスト等が提唱した「東亜協同体」（「東亜新秩序」とか「東亜連盟」等様々な名称があつた）や国策たる「大東亜共栄圏」といふ理念も同様で、戦後の世論では「侵略戦争」の方便でしかなかつたといふのが「常識」である。

しかし、少なくとも、これらの思想が当時の逼塞した我が国を取り巻く国際環境や国内状況の中で、我が知識層の知的格闘、葛藤の成果であつたことは事実だ。政治的文脈で云へば、欧米列強による日本弱体化策「ワシントン体制」の打破である。戦後は、これをナショナリズムもしくはファシズムといふ曖昧な概念で切り捨てた。現在もさうであるが、戦前＝「軍国主義」＝悪、戦後＝「民主主義」＝善、この問答無用の二分法が固着、我々を呪縛してゐる。だが率直に云へば、我が国は何も変つてゐない。戦後は軍への迎合がＧＨＱへと変り、戦前、政府やマスコミの反軍的姿勢を批判した「軍国主義者」が、戦後は恬として「民主主義者」を自称。戦前と戦後はポジとネガ、表裏一体である。

勿論、かかる似非「民主主義者」とは違ひ、保田のやうな稀有な一貫性を有する人間には裏も表もない、だがそれ故に戦後の「価値観」の中では容赦なく断罪され続けて来た。結局、彼らの思想も極少数の論考を除いて何ら精査されることなく、「軍国主義」に加担したイデオローグとして扱はれたまま、その苦衷や苦闘は全く報はれてゐない。これは我が論壇の不当な知的サボタージュと云はざるを得ない。今我々日本人が彼らを弁明しないで、誰がそれをするのか。かかる状況のなか小論は、「知識層」のなかでも特異な地位を占める「日本浪曼派」を主導したロマンティケル・保田與重郎と承詔必謹の〝極北〟にゐた房内幸成に焦点をあて、彼らの思想について、それらが本当に「無効」なものであるかどうか再検討する。それは房内との比較において、保田の稀有な一貫性を更に際立たせることになるが、結果的に房内の〝後継〟として保田が戦後果たした役割を辿ることにもなるだらう。

一．「偉大な敗北」忘れた日本人

「現行憲法」はじめ戦後の世論では、「日本人」ではなく「人間」として、人権とか民主主義といふ「普遍的価値」の重要性を強調する。さらに云へば、国籍といふものも寧ろ止揚されるべきとのニュアンスさへある。国民ではなく、無国籍な「市民」なのである。このやうな認識のなかでは、かつて一丸となつて戦つた大東亜戦争も「侵略戦争」であり、ＧＨＱが強制した「太平洋戦争」として定着する。確かに大東亜戦争は、軍事的には昭和天皇の大御心により「終戦」といふ敗北で終はらせた。

しかし、それは単なる「敗北」ではない。国体護持の為の承詔必謹故の「偉大な敗北」である。西欧列強からのアジア解放は数世紀に亘るアジアの悲願であり、その解放は日本の「歴史的使命」であつた。大東亜戦争が「アジアの正義を立てる戦争」（保田與重郎）であると同時に何故「偉大」なのか。それは、敗北を恐れず、いや寧ろ敗北することで、その使命に殉じ、己を滅してでも達成しようとした民族的精神の存在である。

かつて、後鳥羽上皇や後醍醐天皇の大御心を拝して立ち上がりながらも、結果的には敗れなければならなかつた我が歴史上の悲運といふものを、保田は「偉大な敗北」と呼んだ。彼はそこから、我が国の芸文の伝統が、隠遁詩人の歴史であり、勝者でなく敗者のための慟哭の文学と規定する。「偉大な敗北」を悼み、永劫を展望する詩文である。これは芸文に止(とど)まらず、日本人の血脈の中にあるＤＮＡと云へる。大東亜戦争の終結を全国民が承詔必謹、「偉大な敗北」として甘受出来たのも、それ故である。

だが、戦後の現実は、再び理想を裏切つた。「現行憲法」に象徴されるやうに、日本人自身が同胞たる「敗者」を貶め「犯罪者」扱ひし、戦勝国に迎合したからだ。斯様な不作法は、我が民族の伝統からしても異常である。「偉大な敗北」は、国家、民族が国難を乗り越えようとする時、帰一すべきご存在としての天皇陛下がおはす限り、必ず克服出来るといふ含意でもある。それは歴史が既に証明してゐる。人は滅びても、大義とその精神は必ず子孫に継承され、皇統同様連綿と続く。

残念乍ら「現行憲法」が破棄もしくは改正されない限り、この「不作法」は継続するだらう。しかし、我々の血脈の中の「やまとごころ」は、死んではゐない。あの国難たる「阪神大震災」や「東日本大震災」は戦争の惨禍と同様であつた。そこからの復興に天皇陛下が大きな役割を果たされたことは、全国民が自覚してゐる。かかる時、いつも我々は陛下に帰一し、その大御心を拝して、一丸となつて立ち上がつて来た。いつの御代も陛下が思召されるのは、国家国民の安寧である。同時に我々が祈念するのも、皇統の連綿と弥栄なのである。

二、承詔必謹の人

房内幸成といふ人を一言で云ひ表すなら、最も尖鋭的な国粋主義者。保田をも超越する敬神尊皇の人である。彼にとつて我が国の芸文は、臣下として詔勅にも等しい御製を只管拝誦し、その意味、意義を再確認するだけで十分といふ。つまり、承詔必謹の文学しか認めないのだ。故に房内は、『後鳥羽院』で保田が天皇陛下を芸文の一点で語ることの非を難じた。

彼にすれば、陛下を芸文といふ「研究」として対象化すること、それ自体が不遜であり不敬なのである。房内は云ふ、「天の全体として仰がれ大み心を（中略）文学の一面のみに限つて拝することは畏多い」。我々の使命は「天朝の御学風」（吉田松陰）を「天下の人々に知らせる」ことに尽きる。この極端な「天皇神学」とも云へる信奉は、芸文上の創作行為も否定しかねない姿勢で貫いてゐた。

昭和十八年に国民学校（小学校）の国史教科書から、後鳥羽上皇の御製「われこそは新島もりよ隠岐の海の荒き波風心して吹け」が削除された時も、激しくこれを非難。「幕藩体制中心」ではなく御製と詔勅こそ国史の骨髄とすべきであると主張した。また一部の歴史学者により「皇神の古道と係ることな（き）」い「忠臣と国学者のみが国を護つたかのやうな謬見」が瀰漫してゐることにも憤りを隠さなかつた。房内にとつて、天朝とその他如何なるものとの等置など、「デモクラシーの感覚に近似する」行為であり、不敬の極みとなる。皇統や皇室は比較のない絶対である。彼にすれば、歴史学研究における古文書や史料等「資料」だけを、最高権威の如くする「歴史学」など否定の対象でしかない。

房内は、学界はじめ世間一般の詔勅や御製への軽視が、我慢出来なかつたのである。「資料」など、御製や詔勅に比べれば、単なる「枝葉」に過ぎない。「しきしまの道」の中にこそ、国史の骨髄があり、これを最高権威とすべきである。かかる誤謬の由来は何よりも、彼らが歴史と文学の不可分性を理解してゐない所為といふ。歌は単なる花鳥風月の雅を叙するものではない。特に御製は神代より民族最高の叡智の結晶であり、これを唯物論的に解釈するなど言語道断なのである。

これは歌を一つのフィクショナルな仮構としてしか扱はない西欧的論理の影響であり、国史を学びながら西欧の言葉と論理で、それを理解、分析しようとする我が国「歴史学」の根本的な問題と指摘。保田も同様のことを「慨嘆」してゐた。我々は万世を通じて、あらゆる道の中心は天朝であり、その英明なる「真事」と「宸憂」といふものを深く心に留めねばならない。だが、大東亜戦争中ですら「天朝の御学風」は仰がれず、「言の葉の道の衰頽その極に達し」たことに、房内は深憂する。

当時喧しく云はれてゐた「国民精神」といふものが興るか否かも、房内に云はせれば「詩は史よりも真なり」の精神の存在である。この精神なくして、御製並びに臣民の「しきしまの道」を骨髄とする歴史観は護持出来ない。「しきしまの道」こそ、「天朝と古に復りみ祖のいのちと道とを継ぐべき最勝易行の道」なのである。房内は保田のやうな縦横無尽なロマンティケルではない、斯様に愚直なまで「道守る」ことのみを念じた人であつた。

三．「近代」の否定と「イロニー」

保田、房内に共通するのはリアリズムの否定である。明治以降の欧化政策は、彼らにとつて「西戎の蛮風」、もしくは「漢意(からごころ)」「戎意(えびすごころ)」でしかない。マルキシズムだけではなく、デモクラシーも同様、「蛮風」の一つなのである。これらの概念は「近代」といふ言葉に集約され、西欧のアジア侵略と同義となる。彼らは「近代」を否定することで、「やまとごころ」の絶対化とその純化を志向した。なかでも房内は西欧哲学そのものを認めてゐない。「哲学の猖獗を極むる所、つひに国を危くするに至らむ」と云ふ。クリスト教的な主知主義の否定である。我々のなすべきことは只管「現津御神のみことのまにまに生き且つ死ぬことの他に臣道はない」と断言した。当然の如く百八十度変つた戦後の世論においては、「侵略戦争」に協力した〝右翼ファナティシズム〟と断罪された。

しかしながら房内の卓見は、いまだ誰も未曽有の敗戦を予見してゐない時代において、近い将来如何なる苦渋の聖断があつても、国民は一致一丸受容すべきであるといふ承詔必謹を説いたことである。そして彼の「予言」は的中し、国民は「偉大な敗北」を甘受した。保田も戦後は「戦争協力者」として「公職追放」を受け、徹底的に論壇から排除された。それでも彼は「新仮名遣ひ」を含む「戦後体制」といふものを、頑に拒絶して隠棲。変つたのは世間であり、保田は不変である。未曽有の敗戦でさへ、国史上の「偉大な敗北」の一つであつて、彼を変へるものではなかつた。保田にとつて「ある政治的現実の形成は、それが形成され終わった瞬間に、永遠の過去として、歴史として美化される」（橋川文三）のかもしれない。

保田が戦前から好んで使用してゐた言葉に「イロニー」といふのがある。彼の「イロニー」

は単なる皮肉や消極的な無為ではない、行動であり「新しい現実への願望である」（ロマノ・ヴルピッタ）。彼自身の言葉で云へば「清醇な観念の遊戯」であり、破壊と創造を同時にやるやうな矛盾を孕みながら、合理性を超克した非合理の論理でもある。それにしても「遊戯」といふのは、ある種パセティックなニュアンスを含みながら、同時に諦観のやうなものも感じる。解りにくいのは保田の「イロニー」は自嘲を含みながら、「逆説の形態」を取つてゐることだ。また、曖昧性を残したまま韜晦するので、真意が測りかねるレトリックでもある。そのメンタリティから云へば、あらゆるものをイロニカルに表現すること自体、保田自身にとつては快感であり、かつ孤独な自己に対し少し斜に構へて微笑を投影するやうな慰撫行為となる。だから「遊戯」なのである。

石川啄木が云ふやうに「浪曼主義は弱き心の所産である。如何なる時代にも弱き心はある。（中略）最も強き心を持つた人には最も弱き心がある」とすれば、保田自身も「イロニー」として存在してゐたといふことだ。

四．政治と文学の近接

保田はじめ亀井勝一郎、神保光太郎、そして太宰治、檀一雄、伊東静雄、芳賀檀、さらに萩原朔太郎、佐藤春夫、三好達治、中河與一らが加わり、「日本浪曼派」は当時の文壇の一大勢力となつた。日沼倫太郎が指摘するやうに、彼らには「滅びの予感の所有者」といふ共通項があり、かなり存在論的な立場から出発してゐる。「存在そのものの不安」を受容かつ披瀝した人々と規定出来るかもしれない。ヘルダーリン、ティーク、ノヴァーリス等ドイツロマン派から影響を受けてゐることは自明だが、その特徴は「不安」から由来する現実や日常への反抗であり拒絶。そして、無いことが半ば分かりながらそれを求めずにはゐられない、憧憬と諦観の美学である。

ノヴァーリスの「青い花」（Heinrich von Ofterdingen）のハインリッヒは、「霞の彼方」にそれを求めて彷徨、そして已むことがない。無限なるもの永遠なるものへの憧憬は尽きない。だが、保田はハインリッヒのやうな、純粋無垢なロマンティケルではない、また単なる粋美主義者でもない。我が国の浪曼主義は与謝野鉄幹以来、その時代に立ちはだかる思想的また政治的課題に対してもビビッドに反応してきた歴史がある。政治と文学の近接は、保田にとつても大きなテーマであり続けた。それに耐へうる一つの思想的基盤が、弁証法を否定した結果の「イロニー」といふ言葉に集約されてゐると云へよう。

当時、アジアにおける「新秩序」構築は、日本の喫緊の政治的課題でもあつた。つまり明治日本の栄光の象徴たる日英同盟の終焉、そして「ワシントン体制」といふ欧米列強による日本封じ込めは、なんとしても打破せねばならなかつた。それは政治の問題であると同時に、思想的問題としてマルキシズムを含む西欧流哲学ではなく日本独自のナショナリズムを確立することでもあつた。同様にドイツも「ヴェルサイユ体制」からの解放が課題であつた。第一次大戦後のドイツ封じ込めの軛を如何に破壊するかである。その理論的支柱をナチスが担ひ、ドイツ国内を席捲した。勿論排他的なドグマであるが、ドイツ人だけでなく我々日本人も魅了されてゐたことは事実である。我が国は「新体制」により、個人主義から全体主義への移行が加速化され、ドイツへの傾斜は顕著となつた。

「ファシズム」は日独共通の「救いであり、突破口」(日沼倫太郎)だつたのである。保田も所謂、「近衛新体制」に期待してゐた。ナチス礼讃は政治、軍事だけでなく芸文の分野でも顕著となり、そのプロパガンダ書とも云ふべきアルフレート・ローゼンベルグの『二十世紀の神話』は、我が国でもベストセラーとなつた。ナチズムが「ひとつの世界観」(ヒトラー)であり、「政治は芸術である」(ゲッペルス)といふ蠱惑的な扇動に、多くの文学者も揺らいだ。勿論これは政治と文学の野合であり、プロパガンダを盲信させる試みであつた。文学が政治の力で「神話」に置き換へられたのである。

かかる状況でも保田は、ドイツそのものとナチズムは峻別してゐた。ドイツの勝利を願つてはゐたが、彼らとの同盟など無用。ナチズムに対しても常に冷静で否定的であつた。曰く、元来西欧は「僭主芸術」「示威芸術」であり、それらは我が国の芸文の伝統とは次元が全く違ふ。ナチズムがその源泉たる攻撃的挑戦的な当時のドイツ文学に対して、我が国には皇室を中心とする一貫した歴史があり、「芸術に対する表現は、つねに対手を威嚇したり、あるいは征服したりする必要がない」静謐さがある。保田がドイツロマン派から出発してゐることを考へたら、彼にとつてナチズムを生んだドイツも一つの「イロニー」に見えたであらう。

五.「イロニー」としての戦後日本

大東亜戦争は「偉大な敗北」として終つたが、保田にとつて戦後日本は、まさに「イロニー」そのものとして存在した。これまで国史上の「偉大な敗北」は、勝者敗者何れも同胞であつた。だが、その精神たる「惻隠の情」は、日清戦争、日露戦争、第一次大戦（対独戦争）においても示され、勝者として奢らず、外国人であつても敗者の面目を保たせた。しかし、米国にかかる「情」は無い。大東亜戦争では無慈悲な非戦闘員への無差別殺戮を繰り返し、その挙句に〝場外乱闘〟の如き「勝利」を手にした。要は文明国ではないのだ。

保田にすれば、今更米国の非道性、非倫理性を責めてもしやうがない、今後は我が国自身が「必勝体制」でなく、精神的、道徳的に〝敗けない体制〟を立てるだけである。「必勝」ではなく、「不敗の条件」（ロマノ・ヴルピッタ）構築である。「現行憲法」の戦力放棄についても、「万一侵入軍をうけた場合、これを自衛する手段をもたない国民が、共力(ママ)もせず、反抗もせず、大道で横臥して、戦車の下になすにまかせるといふこと」であり、「武器を持つ闘ひ以上の大勇猛心を必要とし、最も困難な殉教心の発露と同一である」とその真骨頂を発揮する。

一見、長谷川如是閑、豊島与志雄等新聞人や学者、知識人の如く、戦争に巻き込まれても無抵抗のまま何もせず、その結果国が滅んでも構はないとの主張に近似してゐる。彼らは、その代償として「平和」が獲得できれば良いといふ倒錯した隷従主義である。保田も「絶対平和論」を唱へてゐた。だが、保田の「平和論」は、所謂自由主義者や共産主義者が云ふやうなそれとは根本的に違ふ。彼の「平和論」は、「近代文明」とその制度や機構の中には無い。それは「東洋の理想的生活」の中にあり、「理想上の道を伝へるところの日本を第一義に考へる」、老荘思想的な「道」といふものの模索である。「近代」への絶対的批判と「道徳」の信奉であり、武力や脅力も越えたところに保田の「不敗」体制はある。保田の「道徳」は、「歴史」と同義である、故に欧米には「歴史」は無いといふことになる。

例へば、それは現在国是となつてゐる貿易立国といふやうな立場も含む。その否定は必然的に自給自足体制の慫慂となる。但し、これは谷川徹三が指摘したやうな鎖国論ではなく、我が国の将来が「近代文明」の延長線上には無いといふ強調であつた。保田にとつて、「近代化」より「偉大な敗北」を経験したが故の、道義国家日本の確立が本質である。それによる平和獲得である。谷川のやうに戦争の無い状態を「平和」と云ふだけで、自らは無為なのに「近代」を肯定し、それを理想とすることは、如何なる「平和」も創出しない。「近代」といふものを放棄せざる限り、道義国家としての日本もない。端的に云へば「近代」とは、欧米列強のアジア支配の歴史肯定と同義である。それはまた、逆説的ではあるが「現行憲法」の精神実現といふものも、この「近代国家」としての日本の放棄が条件なのである。

「近代国家」否定は、文化や産業自体の放棄も意味する。それらが「戦力」の一つであり、不可避的に戦争を誘発するからである。それにしても「現行憲法」遵守が、道義国家確立となるなら、まさに強烈な「イロニー」と云ふ外ない。勿論、保田自身が云ふやうに、これは「時務」を第二義にするためのレトリックではあるが、「竹槍で攻めることはできないが、竹槍で守れるものがある」、「守らねばならないものではなく、必ず守れるもの」といふ本質の問題なのである。

六．承詔必謹の継続

雑誌『祖国』を創刊し、上記の如く戦後ジャーナリズムの対極に位置しながら精力的な言論活動を行つた保田と対照的に房内の戦後は、言論人ではなく教育者として過ごした。群馬大学、専修大学教授を歴任し、言語学の論文数編を発表した程度で亡くなつてゐる。房内も『祖国』に何度か寄稿したことはあるやうだが、例へば「観木記」といふタイトルからも分かるやうに、紀行文であり承詔必謹の文学ではない。承詔必謹は房内にとつて、既に過去のものとなつてゐたのか。あれほど「道守る」人であつた彼は何処へ行つたのか。だが、今この一点で彼を責めるのも酷だらう。多くの日本人が、恬として戦前は「軍国主義」と闘つたと云ひ、戦後は「民主主義者」たることを自称してゐるのだから。保田が稀有な例外なのである。寧ろ戦中の「国体の尊厳とは国語の尊厳であり、思想戦とは実に言葉と言葉の戦ひに外ならぬ。学者思想家が多く国語を軽んじ、さらに敵国の言葉のみを第一外国語として、依然としてその学習に日本の青春の精力が消耗されてゐる」との房内の警鐘は、今も傾聴に値する。これは、そのまま「仮名遣ひ」は勿論、あらゆる教育機関での国語、歴史教育から果ては小学校の英語教育まで、現在の我が国の惨状への警告として我々の肺腑を突き刺してゐる。

保田は戦後も承詔必謹である。主権回復の昭和二十七年に早速、房内の「警告」を実践しようとした。明治天皇生誕百年に当たる同年、「明治天皇御製奉誦会」設立を提唱。この意図は、まさに房内が主張してゐた「臣下として詔勅にも等しい御製を只管拝誦し、その意味、意義を再確認」することである。その上で、これらの「服膺を各自の志として期し、国民一人々々が、これを則(のり)とする志を立てることにあ（る）」つた。

元来、御製は「教訓歌」ではない。儒学者流の自身が高みの上から領導、啓蒙しようなどといふ次元ではない。天皇陛下自身が「古の道をふみ行はれ、又それをふみ行はうとしてゐられる御自身のことをつねに述懐せられて」ゐることが、その時の御製となる。保田は、それを「徳用(さきはひ)」といふ言葉で表はす。故に我々の如き懦夫匹夫でも、それらが「神ながらの心を恢弘する絶大なる驚異の力を蔵する」ことを知る。歌のこのやうな「作用(はたらき)」が、「徳用」と云ふ。御製とは斯様に、日本人が元来持つ「人倫の徳と美の発する根源」を「啓発する力」

に外ならない。これこそ古来「言霊の幸ふ国」日本本来の姿であらう。房内が戦前に主張した御製の本質が、戦後再び保田によつて恢弘されたのである。

をはりに

アジアにはアジアにしかない道徳と道義があり、それを本質と保田は考へてゐた。だから「革命」は否定する。「革命」が暴力を伴ふからとか独裁を招くからではない。「革命」が「近代」の概念で、「市民的社会の繁栄と主権を『国家』といふ形で奪取する行為」だからである。元来、道徳は弁証法的論理で語られるものではない。よつて、我が国史たる「道義を守る人々の志の伝へ」も、それで語ることは不可能なのである。

保田は弁証法的な唯物論だらうが、アメリカ流リベラリズムであらうが、その基底に「欲望」とそれを充足するための「侵略」的意図があるものは否定する。日本が為すべきことは武力ではない。非西欧的価値の最たるメルクマールたる、道徳や道義による「不敗」体制構築である。我々は房内や保田の思想をステロタイプに、単なるアナクロニズムとかファシズムといふ一片の言葉で片づけるわけにはいかない。

例へば日米同盟である。この同盟が現在、我が国防の基盤であると同時に、米国の世界戦略に組み込まれたシステムの一つであることも自明である。だとすれば、この根幹は日本、さらにはアジアの主体性といふ問題に行き着く。主体性とは、まさに民族の精神に関はる問題である。日米同盟はじめアングロサクソンとの同盟が所与なら、はじめから我が国の主体性などありはしない。日本はアジアであり、アジアの日本である。当時の彼らも、常にそれを考へてゐた。彼らの思想は「無効」どころか、今日の問題として、我々にその核心を突き付けてゐる。

保田の「不敗」は、世界最古最高権威の皇室を戴く我が国の、あるべき姿の一つの示唆であつた。我々の為すべき方策はいろいろ考慮されるべきだが、その究極的な目的は、我が国古来の道義や道徳、つまりは「やまとごころ」といふものを天皇陛下中心に敷衍し「言霊の幸ふ国（さきはふくに）」にすること、それ以外にあるのだらうか。勿論、それは米国流プラグマティズムやリベラリズムとは、決して相容れないものである。

第四章　「文化概念」としての天皇と「統帥権」

――「菊と刀の栄誉」を繋げ！

（初出：『國の防人　第十三号』）

はじめに

憲法改正の要諦が九条であることは論を俟たないが、これと同時に改正しなければならないのは一条における天皇陛下のお立場である。結果的に占領軍の意図により政治、軍事から疎外、さらにはその歴史的経緯も無視され、最低限に矮小化した「象徴」といふ極めて〝曖昧〟なお立場になられたからだ。「現行憲法」は、これを「主権の存する国民の総意」といふが、一体いつ我々にかかる「総意」があつたのか。

当然ながら、憲法などといふ〝近代の発明〟以前から天皇陛下は御座（おはしま）されてゐたわけで、それぞれ時代の変遷はあつても、陛下のお立場は同じである。少なくとも我々が二千七百年に及ぶ「万世一系」の国体の最高権威として陛下を仰ぎ見ることはあつても、「象徴」などと考へたことは一度もなかつた。たかだか七十有余年を経過しただけの「現行憲法」が、我が国体より上位にくるわけがない。皇統の正統性や権威といふものは、かかる憲法の存在とは全く次元が異なり、遥か彼方上方に厳然とある。

畢竟この問題の根源は、「現行憲法」の「国民主権」といふ誤謬から来てゐる。本来「主権」とは無制限な権利であり、そもそも立憲主義や三権分立にも反する。勿論国家主権とか主権国家といふ言葉とその実態はある、だが一般国民を総体であらうと個々人であらうと「主権者」と位置付けるわけにはいかない。

歴史上、確かに「共産主義革命」を志向した毛沢東やスターリンは「主権者」であつた。彼らは無制限な権利を享受してゐたからだ。だが、同時に考へなくてはならないことは、彼らは決して例外ではないといふことである。今我々のなかで誰かが「主権者」たらんとすれば、それは選挙といふ民主的な手段を通じて可能なのだ。第一次大戦後、「共産主義」と対峙したヒトラーが合法的に政権を獲得した例でも分かるやうに、それは現代においても可能であり、第二のヒトラーはいつでも出現しうる。

一旦かかる人間を「主権者」として認知すれば、他の国民は只管その人間に隷従もしくは盲従するだけの存在となる。本来「立憲政治は制限された政治であるので、主権の入り込む余地はありえない」（フリードリッヒ・フォン・ハイエク／Friedrich von Hayek）。米国憲法起草者の一人アレクサンダー・ハミルトン（Alexander Hamilton）も「主権は本質的に、その執行を委ねられた人びとが、行使にあたって（中略）統制されることへの憎悪を含んで（中略）それは、権力欲に起因している」といふ。有体に云へば「主権」とは専制（autocracy）の別称であり、北朝鮮が国名に「民主主義」を僭称する如く「無制限な民主主義」の謂である。その源泉は、モンテスキュー（Charles-Louis de Montesquieu）が云ふ「恐怖」であり、結果的に最悪の政治体制を招来する。

「帝国憲法」下でも、天皇陛下は「主権者」ではなかつた。「統治大権」、「外交大権」、「統帥大権」等は保持されてゐたが、それらは総て政府・統帥部の「輔弼」と「輔翼」が必要であつた。まして「現行憲法」においては、「主権者」どころか国民に許容されてゐる「権利」さへ陛下にはなく、あるのは「義務」だけである。人としてこれほど制約されたご存在はない。その意味では、究極の利他主義（altruism）を体現されてゐると云へる。陛下のご生涯とは、すべて国家と国民のためであり、個人としてのレーゾン・デートルも無いのだ。

第二次大戦後「現行憲法」といふ〝制約〟のなかで跼蹐（きょくせき）した議論に終始する我が国では、天皇陛下を「国家元首」とさへ規定せず、まして陛下が軍を統帥すべきであるなどとは考へもしなかつた。それらはすべて「帝国憲法」下の〝過去の遺物〟とされ、陛下は軍事とは全く無縁のお立場となられた。だが、世界では、国家元首が軍を統帥するのが通常である。小論は、現在二十六ヶ国ある立憲君主国に於いて最高の権威と最古の伝統を誇る我が皇室及び天皇陛下と政治そして軍事とのあるべき関係を、諸外国の例も参考にしながら、陛下統帥の軍の正統性と正当性を考察するものである。

一・権威の国家元首と権力の国家元首

これまでの国会答弁によると「現行憲法」では、天皇陛下は元首ではないといふことらしい。らしいといふのは、「元首」の定義によりそれは可変するからといふ。それによれば「かつてのように元首とは内治、外交のすべてを通じて国を代表し行政権を掌握している、そういう存在であるといふ定義によりますならば、現行憲法のもとにおきましては天皇は元首ではないといふことになろうかと思います」（大出峻郎内閣法制局第一部長、昭和六十三年十月十一日）とある。逆に云ふと、定義が変れば「元首」でもいいといふことになる。

だが、ここでの問題は元首の定義ではなく、大出部長が云ふ天皇陛下がかつて「国を代表して行政権を掌握」といふ文言にある。これは、実態と乖離した表現である。「行政権の掌握」とは、端的に云へば権力の掌握であり、あたかも陛下が「主権者」であつたといふ前提となる。実際に「帝国憲法」下の陛下が、「行政権を掌握」して内政、外交に関し内閣を越えてイニシャティヴを取られたことなどない。総てにおいて内閣の「輔弼」があり、ご意見は述べられるものの最終的には憲法の規定により粛々とご裁可されてゐた。大出部長の答弁は為にするものであらう、つまり陛下は「現行憲法」では「元首」であつてはならないといふ所与の結論ありきの、作為されたものである。

天皇陛下は権力なき国体最高権威であるが、陛下と雖も憲法の擁護者たらねばならない。国民同様、拘束されてゐると云つていい。これが本当に「主権者」なら、ご自身で何とでも解釈出来、その変更も可能であつた。本来「主権者」とは権力を以て「他を拒絶することによつて自己を定立する力」（三島由紀夫）を有してゐる。

例へば毛沢東は反「毛沢東」を排撃したからこそ、毛沢東思想を確立して中国共産党を内戦勝利に導いた。その方法の是非については問はない。権力闘争とは、「勝利」したものの歴史である。スターリンも同様である。如何に彼らがオポチュニストで、階級闘争を国家権力の強化にすり替へても、彼らは「勝利」したからこそ権力を掌握出来たわけだ。権力とはかかるものである。手段を択ばない権謀術策で権力闘争に「勝利」した彼らこそ「主権者」であるが、その支配・統制を受ける人民は実質的な「奴婢」以上のものではない。

他方、権威といふものは、正統性（legitimacy）に裏打ちされてゐなければ成立し得ないものである。仮令国家元首であつても、かつてのイラン親米政権パーレビ王朝が、いとも容易くイスラム革命で倒されたのは、世俗主義（secularism）が敗れただけでなく、その「正統性」があまりにも脆弱であつたからだ。今、イランにおける「正統性」とは、イスラム原理主義かもしれないが、それが余りに強権的に行はれてゐるとすれば、それもまた脆弱性の裏反しである。

かつてのヒトラー、ムッソリーニはじめ共産支那の習近平や北朝鮮の金「王朝」も、本質は「恐怖」を基礎とした軍事独裁政権であり、強権的に国民を監視・管理し、状況により恣意的に動員するだけである。彼らにとつて権威の源泉自体が権力なので、それが無くなれば権威は直ちに消滅し、彼らの存在も無くなる。権力が「他を拒絶」する能動的な力であるなら、権威は〝他から憧憬、敬意〟される受動的な力であらう。権威とはそれが力を以て行使された瞬間、その本質が失はれ、排他的で恣意的かつ形骸化したものに墜ちる。

二．国家元首統帥の正統性

現在、我が自衛官は正式な軍人ではない、括弧付の「軍人」だ。他の官僚と同じく、行政官である。だから警察同様、政府に「従属」する。総理大臣が自衛隊最高指揮官であることは間違ひないが、総理に「統帥権」はあるのかといふと、これは議論になる。通常「統帥権」は国家元首のみが有する「権能」であり「義務」でもある。よつて「統帥権」は、行政府の長の実質的な最高指揮権とは区別されるべきである。

また厳密に云へば、共和制国家の国家元首には「統帥権」ではなく、行政府の長としての最高指揮権だけで十分だらう。モンテスキューによれば、共和制は「徳性」を、君主制は「名誉（栄誉）」を原理とするといふ。軍人が生命を賭して戦ふのは、「徳性」ではなく国家及び自己の「名誉」の為である。君主制国家の本質が、軍と同様「名誉」といふ同一のベクトルを有するからこそ、国家元首たる国王の「統帥権」が正当なものとして、軍も忠誠を誓へるのである。

今でも英国はじめ西欧諸国の国王は、「統帥権」により法的に軍事における最終決定権を有しており、国王自身「軍人」として「大元帥」といふことになる。国家元首の「権能」を最も制限的に解釈してゐるスウェーデンでも、「統帥権」は無いものの「軍人」として「大将」の地位が与へられてゐる。何故国王が軍の「統帥権」を保持してゐるのか。それは国家と軍の不可分性に由来する正統性の問題である。正統性とは、まづ国家が長い歴史と文化を有するといふ一体性、そして国民等しく認める普遍性の存在である。その具現の一つが王室であり、なかでも国家最高の代表（head of state）としての国王である。

国王は対外的な代表でもあり、国家防護を任務とする軍においても同様である。つまり国家の長であり、「大元帥」でもあるわけだ。故に英国の如くノーブレス・オブリージの実践といふ以前に、国王が「軍人」であるが故に、その継承者候補の男子王族は須く軍務に就くべしとされてゐる。また王室と軍との一体性は歴史的知恵でもある、仮に王室と軍との距離が離れれば、それだけ軍の「恣意性」もしくは政治の「私兵」となるリスクは高まる。ドイツのやうに第一次大戦後の君主制廃止は、ワイマル体制を逆手に取るヒトラーをして合法的に政権獲得せしめ、彼の最終目標たる軍の「私兵」化を推進させた。

仮に君主制を廃止してゐなければ、ヒトラー政権の存在は無かつたかもしれない。彼に「白紙委任」（carte blanche）たる「無制限な権利」を与へたのは、正統な「権威」の存在を失つたドイツ国民自身である。それは、不安や恐怖に由来する「神経症の時代」（ジークムント・ノイマン／Sigmund Neumann）における、「自由からの逃走」（エーリッヒ・フロム／Erich Fromm）であり、新しい別の「権威」を渇望した結果でもあつた。ヒンデンブルグ大統領死後は「国家元首法」（国民投票で可決）により、実質的な「大統領」の地位を与へ、国軍はヒトラー個人への忠誠を強制された。さうなれば誰も彼の暴走を抑止するものはゐない。

だが一方、「文民統制」といふ観点では、ヒトラーは「文民」の「国家元首」であり、軍を十分「統制」してゐたといふことも可能である。これが「文民統制」の怖さである。我が国の政治家は二言目には「文民統制」の徹底と云ふが、「文民統制」とは統制の主体次第で幾らでも、恣意的に運用出来るリスクがあることを認識せねばならない。そして、このリスクを決定的に防止するのが君主制である。君主制は、「民主主義」といふ欠陥の多い制度のなかで生起する政治の暴走を抑止する〝緩衝剤〟でもある。軍も同様で、国王統帥は軍の精神的支柱となるだけでなく、軍の政治志向を抑制するポジティヴな〝副作用〟も有する。

また君主制は〝緩衝剤〟といふ以上に、王族が歴代主要閣僚を務める中東諸国はじめ、タイのやうな仏教国でも決定的な役割と機能を果たしてゐる。周知のやうにタイは植民地化を免れたものの、その独立性や政治基盤は脆弱であつた。その状況で国王が国家元首としてだけでなく、国軍の「統帥権」を有し、かつ指揮権も発動出来る立場であつたことが、国の安定に多く寄与した。第二次大戦後、クー・デタが頻発しても、その度に調停や仲裁に入るのはいつも国王であつた。特に長く在位されたプミポン国王は、国務と統帥を「実務」として両立させ、ご自身の「義務」を果たされてゐた。

通常国家元首は、国家的決断を闡明する役割を担ふ。例へば行政府の和戦に関する最終決断を受けての国民への宣言、特に開戦の場合は、それを隷下の軍に下令しなければならない。行政府の長は、幕僚の長の軍事的見地からの意見により、その可否を判断するだけである。

又その後の「用兵作戦」は、国家元首統帥の軍の独擅場となる、政治の容喙するところではない。かかる意味で、現在のやうに「象徴」といふお立場の天皇陛下は、他の立憲君主国の如く本来の「義務」を果たされることも出来ないのである。

三．天皇統帥は、「文民統制」を強化する

「帝国憲法」下、国家の軍事行動には天皇陛下による「統帥行為」と、軍隊行動上の「技術的行為」の二面があるといふ説があつた（佐々木惣一博士）。勿論、国務は大臣の「輔弼」、統帥は幕僚による「輔翼」を受けて大任を果たされるが、なかでも「統帥行為」とは、陛下によつて国家「全体」としての軍の意思決定が為されるといふことである。具体的に云へば出師や和平の決定であり、陛下が軍事行動上の「技術的」側面にまで監督権を発揮されて軍隊を指揮されるといふことではない。かかる意味で「統帥行為」とは、「技術的行為」の上部に位置する「精神的行為」といへる。

佐々木博士の解釈は、「統帥権」といふものを「技術的側面」たる「現場」の指揮命令権との分離を想定し、同時に「輔弼」、「輔翼」行為自体も文官、武官の別を立てる必要は無く、仮令「輔翼」事項であつても文官の「輔弼」は必要との理解である。このやうな「統帥権」の包括的理解があれば、ロンドン海軍軍縮会議（昭和五年）での「統帥権干犯」問題は惹起

しなかつたかもしれない。

小堀桂一郎教授が既に指摘されてゐるが、これは一種の「文民統制」的発想である。この解釈は重要であり、かつ今後も有効と思ふ。念の為云ふが「統帥権」の独立と陛下統帥とは別問題である。勿論、小論は自衛隊における「統帥権」の独立を支持するものではない（これは広義での「軍令」事項への政治排除は不可といふ意で、狭義つまりは戦術レベルの「用兵作戦」における政治不関与は当然である）。だが、自衛隊が「国軍」となつた時、「統帥権」の独立とは別次元の問題として、陛下統帥の問題は必ず生起する。

行政府の長たる首相に「統帥権」は無い、あるのは最高指揮官としての職務だけである。それ故、本質的に自律性と自立性の高い軍といふものを有効に「統制」するためにも、政治とは別次元の「統制」は必要なのである。それが天皇陛下の「精神的行為」としての統帥である。勿論、政治的技術の為に陛下の統帥があるわけではない、だが結果的にそれは「文民統制」を強化するものとなる。

もし、かかるものが不要となれば、どうなるのか。まず軍は誰に、若しくは何に対して忠誠（忠節）を誓ふのか、これが全く不明となる。国軍となつても現在の如く実質的な「元首」との距離が無限に離れてゐては、軍は警察と同じ位置に甘んじるしかない。本来、軍は政府に「従属」するのではなく、「統制」を受ける存在である。出師の決定等国家的決断が、単なる「行政命令」で済まされるものでないことは自明である。

統帥の本質とは、軍が国家と不可分な存在として、国体最高権威すなわち天皇陛下への忠誠（忠節）を明示することである。内閣の「輔弼」と国軍の「輔翼」を受けた出師の決定等国家「全体」の意思表明は、総理大臣の役割ではない。唯一国家元首しかなし得ないものである。勿論、それら総ては内閣と軍の責任において闡明されるもので、陛下ご自身は「無答責」たることは云ふまでもない。

このやうに、仮令「国軍」が出来ても、それを誰が統帥するかを不問にすれば、軍隊の存在自体が不安定かつ士気も脆弱なものとなり、最悪、政治の「私兵」に成り下がる。総理大臣は、最高指揮官として「国軍」のアドバイスを受けて最終決断をする立場にある。これは統帥ではない、「文民統制」の結果である。

繰り返すが統帥とは、天皇陛下が軍隊の精神的支柱つまりは忠誠対象であり、国家の戦ふ大義を闡明出来る唯一のご存在といふ意である。誰も総理大臣の為に死ぬ軍人は存在しない、彼らは栄誉（名誉）の為にしか死ねない。彼らは陛下同様、命を的に国家に尽す「義務」があるが故に、究極の「利他主義」を実践される国体最高権威たる陛下にしか忠誠は誓へない。陛下による統帥は、軍の精強さと忠誠心を高め、結果的に軍の政治志向を抑制することになり、政治主導の「文民統制」をより有意に機能させるだらう。

四．「政治概念」でなく「文化概念」としての天皇

かつて三島由紀夫は、「帝国憲法」下の日本は「道義国家」といふ「擬制」として存在しており、この国家と道徳（道義）との結合は、常により純化されかつ先鋭的な「思想」により攻撃され続けるリスクを内在させてゐると指摘した。それが顕在化したのが二・二六事件であつたといふ。それは「反乱将校」たちにとつて、国体の本義に悖る「君側の奸」を駆逐する当為（sollen）の「革命」、道義の「革命」であるが、同時に彼らの行動は常に敗北し続ける宿命でもあつた。

昭和天皇があくまで西欧的立憲君主としてのお立場で常に自律されてゐたことは夙に知られてゐるが、それでも彼らは自らの「赤誠」が陛下に理解され、「親裁」による「粛軍」が達成出来ると信じてゐた。「反乱将校」にとつては、陛下「股肱の臣」こそ「君側の奸」でしかなかつたが、その「股肱の臣」に対する陛下の思ひも複雑であつた。

「討伐決心」がつかない陸軍首脳部に対して昭和天皇ご自身が近衛師団を指揮、鎮圧されようとまでご決意。陛下にとつて張作霖爆殺事件以来、満洲事変、支那事変への陸軍首脳部の対応は、事実を糊塗する〝言ひ訳〟と〝言ひ逃れ〟に終始してゐるとしか見えなかつた。しかし、あくまで立憲的なお立場を守られる陛下は、彼らを馘首することはしない。最後まで閣僚、統帥部の「輔弼」、「輔翼」を最大限尊重して、ご自身の「お考へ」は固く封印されてゐた。

「帝国憲法」は、天皇陛下を西欧的立憲君主国の「元首」として「統治権を総攬」し、かつ「大元帥」として軍を統帥する、この二元性のなかでのご存在とした。確かに、この二元性の矛盾を払拭する為には「親裁」といふ「政治行為」は必要なのだが、それを否定すれば必然的に「天皇機関説」への帰着となる。何より昭和天皇ご自身が憲法上の一「機関」であるとのご認識は、「反乱将校」の切望とは真逆の如何なる宸襟（お考へ）も表出させない（「親裁」の拒否）といふことであつた。

翻つて「現行憲法」は、「国民主権」といふ正に擬制の上に成り立ち、天皇陛下を「機関」としても認めない、「象徴」といふご存在に棚上げした。本来、象徴とはいへ実態（tangible）のあるものであらう。畏れながらさういふ「機関」としても、又その「権能」も認めず、ただ「国事行為」といふ敢へて韜晦した概念で糊塗してゐるだけとしか云ひやうがない。

だが、かかる天皇陛下の「政治概念」としての議論は果てしがない。故に三島は、陛下を広範かつ多岐に亘る文化の総体、つまり「文化概念」として規定すべしとした。陛下の「菊と刀の栄誉」（軍事的栄誉）を繋ぐべき役割も、「政治概念」としてではなく「文化概念」として捉へられるべきだと主張した。

三島の意図は、国家元首故に「統帥権」を有してゐる西欧立憲君主国との違ひを鮮明にすることであつた。西欧型立憲君主国としての明治日本は、彼が力説したやうに天皇陛下の「文化的機能」を捨象したのかもしれない。陛下は他の立憲君主国のやうに国家元首故に「統帥権」を有するだけでなく、我が国固有の「文化概念」にも基づいてゐることを忘れてはならない。

をはりに

「現行憲法」における「象徴」に関して和辻哲郎は「天皇が日本国民の統一の象徴であることは、日本の歴史を貫いて存する事実であり（中略）主体的な全体性であつて、対象的に把握することのできないものである」故に、それは「象徴」としか表現出来ないと擁護した。だが、象徴の概念は幾らでも可変自在の言葉でもある。

仮令天皇陛下が「象徴」のままでよいと仰せられたとしても、その後和辻自身が危惧したやうに国体護持の為の「天皇制」が、憲法の規定を逆用して「国民主権」の民主主義擁護の為に、その位置にをられるといふ解釈も成り立つからだ。つまり陛下ご自身が民主主義擁護、「国民主権」のために存在されてゐるといふパラドックスである。国体論ではなく、国民主体論への転化となる。この倒置には、将来的に陛下はじめ皇室が国民の中に収斂されるだらうといふ含意がある。「国民主権」とは、斯様に時限爆弾的機能を果たす〝危険な代物〟なのである。

「象徴」天皇は今後も、様々な政治勢力から、そのお立場をさらに矮小化していく方便に晒されていくであらう。これを回避するには、憲法改正により、かかるお立場を明記することが不可欠なのは云ふまでもない。陛下の「権能」強化、すなはち皇統の確実な継承と国家元首、そして統帥者としての地位を明確に担保せねば、国体はさらに危ふくなる。

今一度、我々は被占領中に「現行憲法」が起草され、皇室の自然消滅、自衛権の否認、さらには「国民主権」と表裏の〝国家主権の否定〟まで企図されてゐたことを確認しなければならない。憲法改正は、自衛隊の国軍化と天皇陛下の国家元首及び国軍統帥明記が〝ワン・セット〟である。これがあつて三島が力説した「文化概念」としての陛下と陛下統帥の国軍といふ「菊と刀の栄誉」の連鎖が達成され、真の意味での「皇軍」となる。

第五章　「無能」のすすめ――『ピーターの法則』と『葉隠』

（初出：『國の防人　第十五号』）

はじめに――『ピーターの法則』とは

『ピーターの法則』といふ本が亡父の書棚にあつた。当時中学生だつた私は、テレビでよく見るピーター（池畑慎之介氏）の著書と勘違ひし、密かに繙いた記憶がある。池畑氏は中性的な魅力の麗人だが、無論本書はかかるものではない。ビジネスマン向けの本である。一九六〇年代後半米国でのベストセラーで、サブタイトルが「創造的無能のすすめ」とあつた。本書によれば、人はあらゆる組織において「無能」を露呈するまで昇進し続けるといふ。当り前と云へば当り前の話である。「無能」でないなら、その人は評価され昇進もするだらう。誰しも昇進すれば嬉しいし、給料も上がる。だが、そこに〝落とし穴〟がある。「無能」を露呈した途端、多くの人が奈落の底に堕ちたやうに無力化するからだ。ただ誰もどのあたりから自身が「無能」となるかは分からない。

問題は、多くの人が既に「無能」状態となつてゐるのに、それが顕在化しないので、自身の「無能」を自覚してゐないことだ。組織として一番困るのが斯様な状況で、本人だけがその地位に相応しい職責を十分果たしてゐるといふ勘違ひである。上層部に昇進してゐる人ほど、組織全体とその運営に大きな影響を与へるのは自明で、その顚末は、自壊するか退任。トップが「無能」の場合、組織そのものが崩壊しかねない。「無能」は突然やつてくる。課長として「有能」だつた人が、年功だけで部長に昇進した途端、その立場や職掌の違ひから、ある日を境に「適応障害」となる。

欧米の如く、個々人のマネジメント能力が厳しく問はれる組織では、「無能」は容赦なく糾弾され、組織弱体化の要因も個人の能力や資質に帰納されるので、最悪馘首となる。ではどう対処すべきなのか。本書は無理な出世を諌める、寧ろ「無能」の〝ふり〟をすることを慫慂する。昇進は必ずしも個人の幸福には繋がらない、上位に上れば上るほど「無能」の〝落とし穴〟も深い。能力を超え「無能」を糊塗し続けるのは苦しいだけで、個人のみならず、組織にとつても不幸である。米国版分限論のやうな感じだが、それがローレンス・ピーターの「創造的無能のすすめ」であつた。

小論は、高度成長期に米国だけでなく日本でもサラリーマンの間でベストセラーになつた『ピーターの法則』の再評価と、それとは真逆の価値観を有する我が武士道の象徴たる『葉隠』との対比を中心に、論考するものである。勿論時代も国も違ふ著作であり、単純な比較は無理があるのだが、それらの思想のエッセンスには必然的に東西文明の価値観の違ひ、さらにはそれに由来する本質的対立が内包されてゐるやうに思ふ。

ここでは、その対立軸を「無能」といふ用語(term)で分析し、主に組織論的な観点から欧米との違ひを考察する。そして、その本質的差異の原点が我が国においては、武士道といふものにその所以があることを論証するのが目的であるが、それは同時に彼我の比較において、武士道のみならず日本人総体の比類ない道徳性や道義性を際立たせることにもなるだらう。

一・日本的機能集団の実体—「精神共同体」と「見えざる原則」

『ピーターの法則』は組織論、マネジメント論としてだけでなく人生論としても、当時のサラリーマンには新鮮かつ示唆的に見えたのだらう。時代もあるが、我が国においてはマネジメント的合理性より年功が勝り、その根幹に日本人特有の「長幼の序」や「惻隠の情」があつた。かかる状況で上梓された本書は、当時喧伝されてゐた所謂〃モーレツ社員〃への、アンチテーゼでもあつた。

欧米の組織はもともと能力主義である、それ故人間の流動性も高い。個人は自身の価値を高く売らうとし、組織はすこしでも安く買はうとする。社員は自身に期待されてゐる業務に対して mission statement、つまりは与へられた課題や目標達成のための方策を会社にプレゼンテーションし、それを実行する。mission とは、もともと宣教師の用語で、布教の如く、それはひとつの使命であり、義務でもある。達成すれば栄達するし、出来なければ組織を去らねばならない。

その基本は、契約の存在である。契約とは、彼らが云ふ「神」とのものである。それが敷衍され、個人は組織においても、顧客に対しても契約を結ぶことが基本となる。あらゆるものを「契約」といふ法的精神で遵守させようとする欧米の組織では、個人の義務はそれを正確に履行するだけで、その範囲外の事項には一切の義務も責任も無い。だが、我が国の〃商ひ〃

には、かかる「契約」は無い。商道徳といふ言葉があるやうに、基本は口約束であり、その源泉は相互の信頼と信義である。

山本七平によれば、日本の経営者は会社の就業規則など読んでゐなかつたといふ、確かに雇用契約書なども存在しない。就業規則は法的に必要だから整備されてゐるだけで、そんなものより組織にとつては、代々伝はる家訓とか家憲、現代で云へば社訓（社則ではない）の方が遥かに重要なのである。今でも、朝礼等でそれらを唱和する会社は多いと思ふ。

中小企業だけでなくパナソニックのやうな大企業に発展した会社でも、それは同様である。創業者松下幸之助が創刊した『ＰＨＰ』は一般にも頒布されてゐるが、それ自身が〝peace and happiness through prosperity〟といふやうに、氏の経営哲学にはじまり日本人としての生き方とか働き方、さらには人生の目的を良導する処世訓でもあつた。それはパナソニック社員だけなく、日本人総体の精神修養を目的に同じ価値観を有するよう、一種の宗教的啓示を意図してゐたやうにも思へる。

松下もさうだが、多くの日本の高度成長期を支へた経営者の多くは欧米流経営学など学んでゐない。だから一時〝バイブル〟であつたＰ・Ｆ・ドラッカーの経営論等机上の理論や論理では論破されても、〝商ひ〟といふ実戦では米国にも負けてゐなかつた。彼らは学理上の理論だけでは決して見えてこない、「見えざる原則」（山本七平）を長い間に経験則として学んでゐたからだ。「見えざる原則」とは、西欧的近代経営とか経営理論とは全く質的に異なる、日本的会社組織の特質である。

それを端的に云へば、営利を追求するだけの機能集団が、同一価値観や理念を基礎とする「精神共同体」ともいふべき異なる概念が併存する組織へと変容し、寧ろこの「精神」の方が組織としての機能的側面より遥かに重要なファクターになるといふことである。それが日本企業の強みでもあつた。また、この価値観や理念の共有がなければ、その組織は機能集団としても全く存立をなさないといふ「逆説」でもあつた。つまり「精神共同体」としての組織を統制出来なければ、営利組織としての経営も立ち行かないことを意味した。

斯様に日本企業は西欧的な合理主義や能率主義だけで業務遂行出来るやうな単純な組織ではなく、経営者も社員も挙つて同じ価値観と理念の〝信奉者〟や〝擁護者〟として存在してゐることが、大前提なのである。故に新入社員に対しても雇用契約は存在しないし、「会社という共同体に加入し、それから機能集団としての仕事のトレーニングをうける」(山本七平)といふのが実態で、それが日本企業の「見えざる原則」であつた。

二・「創造的無能」と日本人

我が国の会社が機能集団として営利だけでなく、同一価値観を有する共同体でもあるが故に、それから離反しない限り、雇用も終身となるのは当然であつた。社員といふより、盟約を交はした共同体の同志なのである。高度成長期においては、それが変らぬ過現未の制度と思はれ、ほとんどの人が会社を変ることなど慮外、転職を考へる人も少なかつた。仕事は一会社一生奉公であつた。『ピーターの法則』は、我が国においても潜在的には当て嵌つてゐたかもしれないが、降格まして馘首を強ひられるほどの「無能」は表出してゐなかつたやうだ。これには理由がある。

日本には独自の「稟議制」といふ慣習があり、個人ではなく組織全体で意思決定するシステムがあつた。会社は個々人がリーダーシップを発揮するといふより、寧ろ、それを発揮してはならない環境であつたと云つていい。老舗の会社ほど新米の管理職による勇み足や前のめりは、組織の伝統や慣習を乱す異分子の攪乱とみなされてゐた。逆に、従順な管理職に対しては、余程「無能」を露呈してゐない限り、会社は格下げといふこともせず、悪くても閑職に回すだけの時代であつた。逆説的だが若年の有能者を冷遇する組織でもあつた。「無能」の問題は顕在化してゐなかつたのである。因みに当時大手企業の閑職部署と云へば、〝社史編纂室〟と相場は決まつてゐた。他の社員は、〝座敷牢〟とか〝島流し〟と揶揄してゐたが、経営も組合もそこの社員を解雇するなど露ほども考へてゐなかつた。

だが時代は下り平成、令和の御代においては、日本人も会社を変ることなど誰もが経験するやうになつた。個人の能力も会社独自の詳細な自己申告書（目標管理シート等）で、あらゆる定量的かつ定性的な評価基準により、「客観的」で「公平」な査定が行はれてゐるといふ。

これはかつての上司と部下や同輩同士にあつた、いい意味での相互依存は、今日のデータ至上主義のなかで、恣意的な「配慮」として一切排除されることを意味する。故に上司と部下また同輩との関係も、同一組織の〝同志〟ではなく、寧ろ敵対的な〝ライバル〟と規定され、その立場はいつでも逆転しうるものとなる。

かうなればかかる「客観的」なデータにより、「無能」が証明された者の居場所はない。『ピーターの法則』による「創造的無能」を発揮する余地も当然ない。社員は個人事業主の如く、所属する組織と〝出来高契約〟のやうなものを強要され、その達成にしか組織も個人も関心は向かなくなる。同じ会社に居ながら、組織の実態は拡散を続けるアトム化した個の集合体へと変質し、一体性や求心力は脆弱とならざるを得ない。今次の新型コロナウィルス禍は、必然的にテレワークや在宅勤務の慫慂といふことになり、それらに拍車をかける。これからも「有能」な社員が、いつまでも「有能」であり続けられるとは限らない。『ピーターの法則』が警告するやうに、ある時点でその社員が「無能」を露呈すれば即座に降格、もしくは馘首となるだらう。

かつて「日本に外国人労働者を入れることは不可能に近い」(山本七平)と云はれてゐたのは、日本企業が擬制としての血縁集団的な「精神共同体」であるが故に、そこに外国人が参入するのは事実上不可能であつたからだ。だがその後、山本の予想に反して外国人労働者が増加し続けたのは、「共同体」としての価値やその強みの源泉であつた終身雇用が、事実上公務員以外には消滅したことに起因する。今日、組織において「建前」上は「無能」は存在しないことになつてゐる、ならば「長幼の序」や「惻隠の情」も必要ない。日本の会社も「能力」といふ指標だけが唯一の価値の、無機質で無情な集団となり果てたのである。

三．「無能」と忠節

当然、一般論で云へば「無能」であるより「有能」の方がいいのだが、組織論において、もう一つの重要なファクターたる忠節といふ観点からみれば、「無能」は必ずしも否定されるものではない。欧米では「無能」であれば、当然その人間の忠節も脆弱とみなされるだらう。だが、我が国ではかかる「無能」と忠節の相関はない、むしろ「無能」であるが故に忠節は高いとも云へる。もともと欧米からすれば日本人の組織への帰属意識の高さは異常とみられ、会社員ではなく軍人に比されたり、はては動物（economic animal）扱ひされて来た。それを象徴する事件が、後年田中角栄内閣時に発生。ロッキード疑獄である。起訴された某大手商社役員は、会社防衛のために〝会社は永遠です〟との言葉を残し、自裁した。これは「有能」であるが故に、会社の犠牲となつた社員の悲劇とも云へるが、皮相的な理解であらう。

『論語』の子路第十三篇で葉公の問ひに孔子が答へてゐる。葉公の国とは違ひ、我が郷党では羊を盗んだ父をその子が訴へることなどしない、庇ふのである。子として父を庇ふことこそ「直き事」であり、「父の悪事をあらはすは、己を思ふ所より、父を捨つるに至る。不幸ものにて、大悪人」（石田梅岩）となるからである。かの役員も会社といふ「父」の犯罪を、身を挺して庇ふのが「直き事」であり、組織永続（それは「精神共同体」としても）の為の自己犠牲は、「子」としての当為（sollen）となる。

個人の名誉の為に自裁する人間は欧米にもゐるだらうが、会社の名誉の為に自決する人間がゐるのだらうか。日本人のこのゲマインシャフト的な帰属意識は何処から来るのか。日本人には軍隊は勿論、組織の目的完遂の為なら個人の犠牲も厭はぬ、むしろ喜んでそれを受容する滅私奉公の精神がある。美学と云つていい。故に、戦後日本の会社員の多くが欧米人から軍人に形容されたのは、彼らからすれば、まさに名誉を重んじる「軍人」にしか見えなかつたのである。

先述したやうに、日本の会社組織とは、営利を追求する機能集団としての組織だけでなく、同一精神を基礎とする共同体といふ異なる価値観が併存する組織であつた。神との契約にはじまり、あらゆるものを「契約」といふ法的精神を基礎とする西欧の会社では、個人の義務もその契約を履行することだけであり、組織全体の名誉とか価値観には無関心。忠節も不要の世界である。従つて、我が国のやうに営利集団なのに共同体組織としての機能も果たすことで、社員全体が同一価値を共有するなどといふこともない。

この「精神共同体」意識が、我が国の組織内におけるメンタリティとして、個人の事情や利害得失のみを喋々してゐる人間が侮蔑される所以となり、それを云ふことは恥となつた。かういふ思想的土壌が「有能」より「無能」だが忠節たる多くの人間を育て、彼らをして組織の屋台骨たらしめてゐた。これにより世界に冠たる一糸乱れぬ規律と統制が、我が国を世界第二位の経済大国に押し上げた。『ピーターの法則』は洛陽の紙価を高めたが、個人の組織における処世術としては余り実践されなかつたやうだ。結果的に日本人のメンタリティと合はなかつたからだらう。

だが、平成を経て令和の日本において、日本的慣習の美点たる終身雇用は既に崩壊して、今や冷徹で無機質なＡＩによる「査定」に支配されるやうになつてしまつた。多くの「無能」ではあるが、忠節を尽くす社員が生存出来る領域はほとんど消失して、今は「有能」と認められた社員のみが存在してゐる。周知の如く産業構造は変革、製造業でなく所謂ＩＴ業といふ既存のメディアと通信の融合にはじまり、あらゆるものをインターネットに連動させる革新的な業態（主にアプリ開発等）が主流となつた。

斯様な業態の「有能」な社員は、いつまでも社員のままでは終らない、自身で創業を目指すといふ。当然であらう。社員のままでは如何に大企業といへども、いつ「無能」と判断されるか分からない、自身が社長になるのが一番安全である。さうなれば他者への忠節も要らぬ、自身の信念を貫けばいい。しかも成功裡に上場でもすれば、巨万の富も手に入る。あらゆることがグローバリズムとかグローバル・スタンダードといふお題目で、かつての日本的組織の強みや慣習が固陋扱ひされた挙句、その美質たる「長幼の序」や「惻隠の情」も一切耳にしなくなつた。グローバル・スタンダードとは云ひ条、欧米流である。効率性や合理性のみに惹かれて、それらに只管迎合することは何か大きな間違ひを犯すことになるだらう。

四．『葉隠』における「無能」

他方、時代も国も違ふが、佐賀鍋島藩の秘本『葉隠』のなかで描かれる武士は、組織論としてみると〝戦力外〟の「無能」が多く描かれてゐる。寧ろ「無能」が讃美される。武士道においては、目先が効いて小利口に立ち回る人間、つまり小商人風、関西風の惰弱さが一番忌避の対象となる。利己的な功利主義は恥だが、「無能」は違ふ。「無能」なりに一生、奉公とは何か、それを求め考へ続けるのが主君への忠節であり、武士道の要諦となる。武士道とは、「死処」を求めることといふ。

ここに普段「無能」で知られる者がゐるとしよう。さういふ人間が慮外に活躍することがある。燃え盛る火事場で誰もが怯むなか、只一人飛び込み、火中にあつた大事な御家の系図を守る為自身の腹を切り、体中に収めて保全したといふ話があつた。自分は斯様な時にしか役に立たない、これまでの無為徒食の汚名を雪ぐべく君恩に報いるのは、今この時である。この一言を残し、飛び込んだ。勿論、自身は焼け死ぬ。

これこそ武士の本懐、そして僥倖でもある。常に「死処」を考へてゐたが故に、かかる行動を取れるのだ。仮令、今は役に立たなくとも、必ずそれぞれの「死処」はある。それ故『葉隠』では、他者への直言や些々たる不正を暴くことを諫めてゐる。「無能」な者や小さい不正をする人間にも「死処」はある、現在の「無能」やかかる些事より将来のご奉公の機会を潰さないことに留意すべきと云ふ。

些々たる不正を暴いても、それはさらに大きな不正を誘発し、人間関係も悪くなるのが世の常。また、諫言するにしても直接云はない。「我が存じ寄りたる事を似合ひたる人に潜に内談して、その人の思ひ寄りにさせて云」ふといふ間接的な方法で伝へ、自身の忠節も知られぬやうに気配る。武家社会には意外にも洗練されたデリカシーの世界があつたのである。

『葉隠』は「気過ぎなる人」や「利口者」等所謂「有能」を忌避する。何故か。「利口者と云ふは、智慧にて外をかざり紛らすことばかりする」からである。「外をかざり紛らす」者は「直き者」でない、「それ故鈍なる者には劣る」。「鈍なる者は直なり」つまり先述した孔子の云ふ「直き者」こそ、「無能」なる故に「我に不足ある事を実に知りて、一生成就の念これなく、自慢の念もなく、卑下の念の心もこれなくして果たす」。これが本来の忠節である。

今日においても、マネジメント能力がいかに秀逸、いや秀逸だからこそ却つて既存の人間関係、さらには組織を壊す場合がある。マネジメント能力は、業務遂行における合理性や効率性しか見ない、他者への忖度や個々の人間性も捨象される。また過去における経験や業績も顧みない、年功も無視される。現在の能力だけが重要といふ当用論である。概してかかるマネジメント能力、『葉隠』で云ふ「智慧・分別・藝能」を以て役に立つてゐるものは平時にはいい。だが、組織存亡の秋、さらには有事の如く「命を捨つる段」となると逃げるものが多い。比して、平常は「何の御益にも立たゝぬ者」が「一命を捨てる段で」、「一人当千となる」。

忠節を本分とするのは、武士や軍人である。その対象が絶対的存在でなくてはならないからだ。自己の一切を空しくして、組織と主君や君主の為に生きる利他主義である。「有能」であるより、「無能」だが忠節かつ高い人格を有する人間の集団が、組織の強固な結束と一体性を担保するのは、その対象たる絶対的存在の藩屏として、常に「死処」を求めて止まないその高貴な精神性故である。

この精神は武士だけではない、日本人全体のメンタリティとして自己犠牲や滅私奉公を旨とする道徳や道義として敷衍され、その認識は広く共有されてゐた。「商人も二重の利蜜々の金を取るは、先祖への不孝不忠なりとしり、心は士（さむらい）にも劣るまじ」（石田梅岩）といふ徳義、つまり「商人の道」となる。世界に誇るべき稀有な美徳と云へるだらう。

をはりに ―「無能」の価値

『ピーターの法則』は、ある意味能動的な「無能」、つまりは著者が云ふ「創造的無能」といふ〝ふり〟をする逃避術であり、かつ一個の利己的な処世術であつた。これを西欧の歴史に当て嵌めて考へてみれば、瞠若すべきものは何もない。その本質は、マックス・ヴェーバーが『プロテスタンティズムの倫理と資本主義の精神』で活写した、ピュウリタニズムの禁欲的姿勢こそが近代合理主義や資本制社会を発展させたといふパラドクシカルなエートス（ethos）であつた。さう云へば聞こえはいいのだが、端的に云ふと〝ご都合主義(opportunism)〟である。

他者への慈悲忍辱を説きながら、特定の「他者」（特に東洋人）への収奪は平然と行ひ私腹を肥やす西欧人のお家芸、〝二枚舌〟である。泥棒でも紳士であればいいのだ。だから自身に都合が悪くなれば、「無能」な〝ふり〟も厭はない。常に〝great pretender〟であること、それが自身の幸福に繋がるといふ思想だ。個人が資本の論理たるマネジメント的合理性に巻き込まれるなといふノウハウなのだが、そこには私利私欲に基づいた利己主義しかない。

これは『葉隠』で描かれる「無能」と、本質的に隔絶してゐる。武士道においては主君に捧げた生命をどう活かすか、究極の利他主義しかない。臣下としての個人的な事由など慮外である。まして、主君に対して斯様な〝ふり〟をするなどといふ卑怯はあり得ない、只管君恩に如何に報いるかだけである。『葉隠』は、かかる愚直さに貫かれてゐる。「創造的」に「無能」になるなど、不忠の極みに他ならない。生得的に「無能」であつたとしても、それは必ずしも恥ではない。勿論不忠でもない。不幸にして能吏でないものは、一生に一度、死を賭して君恩に報いることを見出せばいい。
「死処」を見出すといふ行為は、功利性や合理性を超越したところにしかない。これは個人の能力や資質の問題とは次元を異にする。かう考へると「無能」こそ武士道の究極かもしれない。君恩に報いることのみを只管思ひ、生涯一度だけといふ一途さこそ尊い。能弁など不要、剛毅朴訥でいい。「無能」故の没我的な利他主義とその精神の純粋性こそ、我が武士道の精華である。忠節を支へる「無能」こそ、長きに亘り醸成されて来た日本民族の高貴な精神の一つであり、それが「惻隠の情」や「長幼の序」といふ道徳律へと昇華された。

また「有能」「無能」を問はず、同一組織で骨を埋(うづ)める一生奉公、終身雇用も個人を育て、その家族や仲間も大事にする礼讃すべき制度であつた。その中で「有能」でないが故に、愚直なまでに忠勤を励んだ多くの「無能」が存在したからこそ、組織は安定的に維持、発展した。「無能」は「有能」の反語ではない。無私な献身かつ忠節の謂であり、組織においては一人も排除せず皆で支へあふといふ日本的集団主義の美質なのである。

第六章 「顧客国民」とポピュリズム ——「顧客国家」としての日本

（初出：『國の防人 第十六号』）

はじめに

「顧客国家」(client state) とは政治学の用語で、所謂「従属国家」のことである。だが、この「顧客国家」といふ概念、必ずしも明確ではない。本来なら国家といふものの本質やその概念から規定せねばならないのだが、小論がこのアポリアに挑む蛮勇は持ち合はせてゐないし、そんな無茶も当然しない。

だが、誰が考へてもclient stateの意味するであらう「顧客」と「従属」とでは、それだけで相当ニュアンスが違ふ。「従属」と云ふならclientよりvassal, subordinateの方が妥当であり、「顧客」ならcustomerと同義となる。他方「顧客国民」(client people) といふ用語は筆者の造語故自在であるが、両者とも無限定に使用するわけにもいかないので、一応筆者なりの「概念規定」を簡略に述べる。

「顧客国家」とは、他の国家の「顧客」として存在してゐる国の謂である。では「顧客」とは何か。他国の保護かつ収奪の対象であるが故に、対手国にとつては随意の「顧客」なのである。例へばかつての英国に対する印度、または米国に対するフィリピン等の旧植民地がそれである。「顧客国家」は自主的な政治外交がなく経済的には搾取の対象であり、関税自主権もなく全ては相手国のための交易となる。かかる理由で対手国にとつて「顧客国家」は、あらゆる面で「従属」的な地位を前提とする自国の「顧客」と位置付けられる。

また独立国や半独立国であつても、他国に政治的経済的特権や企業経営における実質的な支配権を掌握され、場合によつては国防も全面的委任の下、外国軍隊を駐留させてゐる国、これも「顧客国家」とならう。一九五九年の革命前のキューバは独立国の体裁はあるが、事実上(de facto)米国の保護国(protectorate state)だつた。砂糖等主要産業は全て米国企業が掌握、米軍も駐留（何故かグアンタナモの米軍基地は今も存在し続けてゐる）、革命後に「主」はソ連へと変つた。同様にパキスタン、スリランカ、ラオス、カンボジア等は勿論独立国ではあるが、その政治的影響力、経済的支配力で見るなら中共の「顧客国家」と云へるだらう。

周知のやうにアフリカでもほとんどの国の独立は達成されたが、「顧客国家」でない国の方が少ない、といふよりほとんど無い。欧州等旧宗主国だけでなく、それまで利害の無かつた中共の関与はアジアに止まらず、アフリカ諸国へ拡大してゐる。過剰融資によるインフラ整備はじめ経済的支配強化も自国の「顧客国家」さらには実質的な「属領」とすることが目的と云へる。端的に云へば、中共だけでなく過去の覇権国家は皆「顧客国家」を有し、それを増やして来た。

ちなみに「顧客国家」は近現代だけの概念ではない。国際政治を学ぶ上で、トゥキュディデス（Thucydides）の『戦史』は古典中の古典であるが、その時代から「顧客国家」は存在してゐた。紀元前五世紀の話とは言ひ条、それを学ぶことは今の国際政治を分析する上でも極めて示唆的かつ有益である。

小論は、トゥキュディデスの時代の「普遍性」にも学びつつ、現代における「顧客国家」及びその内にゐる「顧客国民」といふ存在について考へたいと思ふ。云はずもがなだが、この二十年くらゐで未曽有のネット社会が現出。ＳＮＳ等で野放図に形成される「世論」が既に大きく存在し、既存メディア（特に左派メディア）がそれらを最大限活用することで大衆を恣意的に誘導しようとしてゐる。結果、ますますポピュリズム（大衆迎合主義）は世界的に猖獗を極めることとなつた。

そこでは議論の本質よりも批判の為の批判が〝トレンド〟のやうに慫慂され、それを主導するのも無定見な「受け売り」だけのタレントや芸能人が中心である。既存メディアが彼らを使嗾することで、多くの大衆が文字通り〝フォロワー〟といふ盲目的な追従者となり実質的な「世論」を形成するやうになる。

その結果、〝フォロワー〟たちは権力者を引き摺り下ろすことだけに血道を上げるメディアの別働部隊となり、自ら進んで愚劣化する。本質に関心のない彼らに誰も自省を求めることもなく、多くは只管迎合、政治はますます劣化するしかない。いつの時代も政治は大衆を反映する（特に民主主義はその短所を）「鏡」、つまり彼らが非難する政治家は自己の投影そのものなのだが、それに気が付いてゐない。これは我が国を含む多くの所謂「民主主義国」が長きに亘り大衆を「主権者」といふ「顧客」として遇し続けた結果であり、小論ではそれを大衆の「顧客国民」化と規定する。

一・「顧客国家」と同盟

現代の「顧客国家」は植民地といふ直接的な支配は免れてゐるものの依然国家としての自立性や自律性は大きく欠落してゐる、かかる状況で大国はＯＤＡ等「援助」の名目で経済的・金融的「実行支配」に注力する。特に中共やロシアは露骨な拡張主義で周辺を侵略し、自身の「顧客国家」維持とその拡大の為には、大金をばら撒き内政干渉も厭はぬ。国内的には一切の政権批判を許容しない〝監視社会〟を構築しつつ、国家の「正統性」誇張と国民のナショナリズム扇動に狂奔する。他方欧米諸国でも、これほど露骨ではないが旧宗主国としての「顧客国家」維持や経済的覇権追求といふ点では変りはない。

これは古代ギリシアの時代も同様で、民主的な国家と独裁的な国家が併存して、それらが可変的に同盟を結び「顧客国家」や隷属地を獲得しながら、争つてゐた。市民も戦争を欲したり忌避したり、気まぐれに〝パンとサーカス〟を求め、それを与へてくれる指導者に喝采と批判を繰り返してゐた。ほとんど現代と変りはない。トゥキュディデスの著述の中心は、当時のギリシアの大国アテナイ（アテネ）とスパルタとの葛藤の結果たるペロポネソス戦争に至る経緯で、それは異なる二つの同盟の対峙でもあつた。

デロス同盟の盟主アテナイは自由主義的な気風（と云つても奴隷制はあつたが）を持ち、ペロポネソス同盟の強国スパルタは、その名が由来でもある専制的な厳格主義であつた。もともと両国はペルシアを敗つた同盟国だが、大陸志向のスパルタと、海洋国家として成長しつつあつたアテナイ両国の意思とは別に、次第に対峙せざるを得ない状況が創出されつつあつた。ギリシアには何百といふ都市国家が点在してゐたが、民主的な国家はアテナイと、専制的な国家はスパルタと同盟する傾向にあつた。新興国アテナイと同盟した国はペルシアからの防衛が主目的であるが、当然それは有償でありその経費（年賦金）負担がネックであつた。それに比してスパルタはかかる年賦金は課さず、同盟国の政体が自国に有利になるもの（民主制ではなく寡頭制）を支持する政策をとつてゐた。

アテナイの方法は現在のNATO諸国の米軍基地経費負担や日米同盟の所謂〝思ひやり予算〟に酷似してゐる。つまり米国同様安保の〝タダ乗り〟は許容しない、アテナイは更なる負担を求めてゐた。他方、同盟国は自主防衛より安上がりな「バンドワゴン（bandwagon: 勝ち馬に乗る）」志向で一貫性がなく、必ずしもアテナイでなければならない理由もなかつた。

事実、「顧客国家」は状況次第でどちらにでも加担出来た。このご都合主義は吉田茂元首相が米軍を「番犬」扱ひした精神と同じである。興味深いのは、アテナイの対応も可成り居丈高で、トランプ大統領（当時）がNATO諸国、日本、韓国等に求めてゐる基地経費負担増要求と同じニュアンスが読みとれることだ。またペロポネソス戦争前のアテナイとスパルタの関係は、第二次世界大戦後の米国といふ自由主義的な海洋国家、もしくはソビエトといふ独裁的な大陸国家、そしてそれらに連なる同盟国や属国との関係に似ていないこともない。

アテナイ、スパルタ両国が激突する前には、その前哨として幾つもの「代理戦争（proxy war）」が生起してゐたことも同じである（勿論、単純にスパルタをソ連に例へることは、冷戦の結果と異なるので適切ではない）。

先述の通りアテナイは民主的と云はれてゐたが、国益の為には同盟国にも容赦なく、それを達成する為の強制的な手段も辞さなかつた。時にはかう恫喝した、「強者が弱者を従えるのは古来世の常であり、（同盟国の）諸君も、今日自分の利益を思って、正義の論を盾にわれわれを非難するまでは、われわれの地位を認めていた。力によって獲得できるものが現れたとき、正義の論を考えて（力の行使を）控える人間などあろうはずがない」（トゥキュディデス『戦史』より）と。事実、年賦金支払ひと隷属を拒み中立を求め、スパルタに傾くメロスに対しては、男全員を虐殺、女子供は奴隷にした。

アテナイにとつて「正義か否かは彼我の勢力伯仲のとき定めがつくもの」であり、「大国はその力を畏れ、小国はその徳に懐（なつ）く」（『書経』）のである。これは現代にも通じる。アテナイが云ふ「正義の論」を条約や国際法と云ひ換へれば、中共やロシアの近隣国に対する対応と全く同じである。逆に我が国はアテナイの同盟国の如く、最強国との同盟といふ典型的な「バンドワゴン」が所与となり、半世紀を経てもパワーを他国に依存し続け、その共有を模索しようともしない。メロスの如く「正義の論」ばかり云ふ「弱者」もしくは「徳に懐く」「小国」と同じレベルにまだ甘んじてゐる。

勿論、日米両国は自由と民主主義等所謂「普遍的価値」を共有し経済的にも互恵関係であるが、国防といふ観点からすれば我が国は米国の「顧客国家」であり、「正義の論」は通用しない。幕末の国難に際して佐久間象山が「その力なくして能くその国を保つものは、古より今に至るまで、吾いまだにこれを見ざるなり。誰か王者は力を尚ばずといふか」（「省諐録」）と喝破したが、「力を尚ぶ」のはアテナイだけでなく、中共、ロシア、そして米国も同様である。支那との対決を明確にしたトランプ政権の国家安全保障担当補佐官ロバート・オブライエン（Robert O'Brien）は、明確に〝Lasting peace comes through strength〟と述べてゐる。

二・「顧客国家」と盟主

既述したやうに紀元前五世紀のギリシアは複雑に独立した数多の都市国家や植民市などが存在し、それらが合従連衡しては壊れまた新たなフレームを作り、アテナイやスパルタの「顧客国家」もしくは隷属地（植民市）として存在してゐた。例へばコリントスはスパルタの、ケルキュラ（かつてのコリントスの植民市）はアテナイの同盟国であつたが、エピダムノス（ケルキュラの植民市）の処置については対立した。

コリントス、ケルキュラは何れも海軍力を誇つてゐたが、ケルキュラはコリントスに征服されることを恐れアテナイに応援を求めてゐた。だが、さうすれば海軍力は圧倒的にデロス同盟側が優位となり、スパルタを当然ながら刺激する。コリントスはアテナイに警告、自制を求めた。だが、同時に肝心のケルキュラも決して一枚岩ではなく親アテナイ派と親スパルタ派で国内は二分状態。結果アテナイは所謂「囚人のディレンマ」に落ちてゐた。

スパルタとの休戦条約もありケルキュラの要請をアテナイは逡巡するが、最終的にはそれを破つてケルキュラに加勢、またコリントスの植民市ポテイダイアが年賦金問題でデロス同盟を離脱しペロポネソス同盟側に付かうとしたことで、ここでもアテナイはコリントスと対峙。アテナイはスパルタに中立を要請したが、コリントスの要請通りアテナイがポテイダイアを攻撃した場合、スパルタはコリントスを援助することを明言した。

アテナイとコリントスは陸海で激突、コリントスは苦杯を嘗めた。果してスパルタは約束通りアテナイを〝侵略者〟として非難、釁端を開く。その後敗戦国ペルシアがペロポネソス同盟側に資金援助で加担、これで両陣営の勢力均衡は破られた。両国の考へは違つてゐた。スパルタはアテナイのパワー増大を恐れ、バランス・オブ・パワーの修正を迫られたが、アテナイはそれより「顧客国家」の死活的状況、同盟を重視した。だが、さうせしめた要因はトゥキュディデスによれば、アテナイのスパルタとの戦争が不可避といふ認識であつたといふ。そしてアテナイはスパルタの手痛い報復を受けることとなつた。

これも第二次世界大戦後の米ソ対立のなか南ヴェトナムを支援せざるを得なかつた米国の「ドミノ理論」と相似する。「ドミノ理論」は共産主義に対するイデオロギー的拒絶と米国の威信問題であるが、それが〝所与の認識〟であつた為、結果的に米国は本格参戦せざるを得なかつたのである。アテナイの戦争が不可避といふ認識も同様だが、本当にそれらに有効性や必然性があつたのか。つまり「ドミノ理論」やスパルタとの戦争が不可避といふアテナイの認識が、本当に妥当であつたのかといふことである。今考へれば米国にとつて「ドミノ理論」より敵の敵は味方となり得る〝オセロ〟的思考の方が有効であつたらう。だからその後、戦略的「修正」として米中は接近したのである。

ヴェトナム戦争は米ソの「代理戦争」といふより、ヴェトナム人のイデオロギー的対立による「内戦」であつたといふのが本質である（マクナマラ元米国国防長官：Robert S. McNamara）、だが当時はそれがあまり見えてゐなかつた。バランス・オブ・パワー維持はスパルタ同様、米国がソ連への対抗上絶対必要な政策であり、その為に「ドミノ理論」は唱道されてゐた。だが、費用対効果を考慮しただけでも米国が本格参戦しなければならないほど南ヴェトナムは「顧客国家」としての死活的価値もなかつたのである。

アテナイの戦争不可避といふ認識も同じで「顧客国家」の為とは云ひ条、自身の死活的問題としてのリスクを高めただけであつた。注目しなければならないのは、その認識の基底にある盟主たる強烈な自恃である。結果的に、それが過剰で増上慢となり、自身の正確な姿も見えなくなつた。スパルタも同様に自恃が強い故に、一方の盟主として〝ギリシアの解放者〟といふ大義を強く欲してゐた。つまりペロポネソス戦争が斯くも長期に亘る泥沼状態となつたのは、ヴェトナム戦争同様「内戦」の性格を有してゐたこと、今一つは覇権国のプライドとプライドの激突であり、それ故両者とも容易に譲れない盟主間の戦ひであつたからだ。

「盟主の戦ひ」であるからこそ、それぞれの同盟国を支援する彼らの自恃と大義は、いつの時代にも「開戦理由(casus belli)」となり得るのだらう。米国の第二次世界大戦参戦は枢軸国の「全体主義」を打ち破る〝自由と民主主義の盟主〟として、ヴェトナム戦争では反ソ反共陣営の〝世界の警察官〟として、避戦を許容しない自恃と大義であつた。我が国にしても支那事変、大東亜戦争は支那の保全と満洲国といふ「顧客国家」防衛だけでなく、〝アジアの盟主〟としての自恃と「大東亜共栄圏」構築といふ大義の為である。

斯様に何れの場合も「顧客国家」の存在だけでなく、「盟主」といふ過剰な自意識や「大義」といふ〝高邁な理想〟こそが、自らの敗北・崩壊に導く要因となり得るといふ教訓である。だとすれば、米国がいつまでも自由主義陣営の「盟主」として「顧客国家」日本の防衛を担保することも、全く同様なのである。

三．「顧客国家」の「顧客国民」

一党独裁体制や独裁者が存在する国は除くが、一応民主主義の体裁を有する国民は自身を

「主権者」と勘違ひして、国家、特に政府の「顧客」であるのが当然と考へてしまふやうだ。特に我が国のやうに国防の義務もなく納税（勿論、教育、勤労の義務はあるが）だけが課されてゐる国民は、正真正銘「顧客」となる。国民が「主権者」といふ擬制のもとでは、「顧客」として行使できる権利とは選挙権くらゐなものだが、権力の側にとつてこの気まぐれな「顧客」は必要なのである。本来国家の存立維持とは、権力が人民を支配・統制してゐることが、その本質なのである。だが、それを表面上糊塗するやうに権力は全て人民の公僕といふ建前を崩さず、どう継続的に〝あやしていくか〟に腐心する。その為にいつの時代も〝パンとサーカス〟は与へ続けねばならない。

不思議なことに〝パンとサーカス〟がある程度満たされると「主権」を有するはずの国民は、何故か一切の主体性を放棄、すべて他人まかせとなる。同時に満足するといふことも決してないので、常に批判ばかりする。勿論、きまぐれである。政府も迎合して、「世論」といふ「顧客」の意向であらゆるものを自在に変へる。「顧客」が戦争はこりごりだと云へば、いくら他国の蹂躙が明確でも軍隊など要らぬとなるし、憲法など変へなくとも何の不自由もない、寧ろ危ふいだけと云へばその通りにする。

〝パンとサーカス〟が満たされるなら自主独立である必要もない、「顧客国家」のままでいいといふことだ。多くの国民は国の政治的経済的自立より個人の栄達や富裕、趣味嗜好等エンターテインメントに現を抜かす。その中で政治も一種のエンターテインメント、〝サーカス〟

扱ひされ、「顧客」たる大衆は自ら選出した権力者を自ら否定して貶め、〝集中砲火〟を浴びせることに嬉々として加担し、新たな情熱を傾け別の権力者を選択しようとする。その繰り返しでポピュリズムは極まる。韓国などその最たる例であらう。

そのくせ、大衆は国家の根幹たる国防や外交、憲法などには毫も関心を示さない。多くがその時その場だけの安逸を貪ればいいので、政治も本質を語るより「顧客」に受けることしか云はない。権力と大衆との野合である。本来、国民が「主権者」であるはずもないのだが、この〝フィクション〟を堂々とマスコミも吹聴するから、国民はタレントの人気投票と大差ない「世論」といふ、ほとんど〝気まぐれ〟を以て「主権」を行使する。新奇なものを好み、陳腐化したものを嫌ふのも同様である。だから新党も新人タレントが注目を浴びるやうに、最初だけは支持を集める。

新聞雑誌等既存メディアが凋落した今、SNSといふ無責任な〝言いつぱなし〟が「世論」扱ひされ、名前だけが売れてゐる著名人やタレント、俳優等が「文化人」を気取つて先導、そして彼らに追随する〝フォロワー〟と称する有象無象がいる。その実態と云へば反政府や反権力を〝トレンド〟のやうに思ひ込み、旧態依然たる左翼メディアの〝揚げ足取り〟をそのまま垂れ流してゐるに過ぎない。

昔もそれはあつた。六〇年安保、七〇年安保時代の学生は『朝日新聞』、『朝日ジャーナル』、『世界』を読みながら、〝生齧り〟のマルクスと毛沢東を語り政府と米国を激しく非難。その根幹は、自身は安全地帯にゐて煽りに煽つてゐたくせに、学生が余りに暴力的になると、最後は〝寸止め〟する上記の「進歩的」メディアの〝二枚舌〟である。学生もインテリを自称してゐたが、彼らのほとんどは〝反米反帝〟といふ〝トレンド〟に流される大衆に過ぎなかつた。

それに気が付かない彼らは〝エリート〟たる自身を「自己否定」といふ論理で語り、それを敷衍して国家や国籍まで否定する。結果、あらゆる既存体制を只管破壊することだけが目的（偏狭なセクト争ひの果ての凄惨な内ゲバも当然の帰結であつた）となるが、「革命」後のことなど何も考へてゐなかつた。当時の彼らに壊す力は仮にあつたとしても、創造する力は絶対に無い。メディアに使嗾された学生の〝反米反帝〟といふ「原理主義」が恣意的に過激化、暴走してゐただけであつた。

四．暴走する「顧客国民」

大衆は「国家は自分のものだと考へる」ので、国家といふ「機械」で全てが得られると思ひ込む。その「機械」の維持と保存には社会の生命力が必要なのだが、大衆はそんなことはお構ひなしに骨の髄までしやぶりつくし、痩せさせ、最後には骨と皮だけにする。オルテガ（José Ortega y Gasset）のこの指摘は単なるアフォリズムではない。実際多くの国民が自身を大衆と認識してゐないからこそ、「主権者」として国家の懐などお構ひなしに、この「機械」を好き勝手に弄り回す。

政治もメディアもそれを諌めるどころか、相変らず「主権者」として持ち上げるので、大衆はますます増上慢となり、云ひたい放題の経綸を語りだす。彼らは「自分になんら特別な要求をしない人で」、「いかなる瞬間も、あるがままの存在を続ける（ことであって、）自身を完成しようと努力しない」、時代の「波に漂う浮草」（オルテガ）に過ぎない。

だが彼らはかかる無為なる「浮草」では済まない、「凡庸なるものの権利を確認して、これをあらゆる場所に押しつけ」、「すべての差異、秀抜さ、個人的なもの、資質に恵まれたこと、選ばれた者をすべて圧殺する」（オルテガ）。つまり自身と同じやうに考へない人を排除、更には危険に晒すのである。暴走と云つていい。彼らは選ばれた者（権力者）や傑出した者への不服従とその存在否定が、国家はじめあらゆる有機的な組織を弱体化、衰退させることを知らないし、知らうともしない。にも拘らず自身は常に「完全」で正しいと勘違ひしてゐる人間である。この大衆こそが「主権者」を僭称する「顧客国民」に他ならない。

「顧客国民」は、真理や真実を手間暇かけて丁寧に探求しようなどとは思はない。自身に都合の好いお手軽なものしか必要としない。今では誰も古典どころか本や新聞さへ読まず、WEB上での不確かで間接的な「情報」で間に合はせる。それでゐて彼らは分限を知るといふことがないので、あらゆることに対してコメントせずにはゐられない、沈黙が出来ない人間である。兎に角露出だけはしたいので、ＴＶではお笑ひタレントまでが「受け売り」の政権批判、その半可通を堂々と披瀝してゐる。

まして現在のやうにコロナ禍で人心が荒れるなか、芸能人だけでなく一般大衆もＳＮＳ等〝ソーシャル・メディア〟といふ、ほとんど何の規制も制約も無いツールでいつの間にか「世論」なるものを形成する。それらが拡散増殖してゐる状況はまさに混沌(chaos)である。「ツイッター」といふ〝つぶやき〟は、ふと浮かんだ個人の雑感を不特定多数に披瀝し、共感を求める。「フェイスブック」では自身の経歴や趣味嗜好を語り、「インスタグラム」は個人的な日常の有様を写真で不特定多数の他人に知らしめる。

無論他愛のない個人の些事や単に新奇なものを拡散させてゐるだけなら問題は無い。だが、そこに政治的主張が加味されると本人の意図とは別に「政局」になることがある。問題は本来政治とは無関係の芸能人やタレントの「主張」の〝ネタもと〟が既存のメディア（特に左派メディア）の「受け売り」であり、かつメディアも彼らの発信力を恃み、上記のＳＮＳを通じて自身の政治的意思を「代弁」させてゐることだ。例へば「特定秘密保護法」や「種苗法改正案」「検察庁改正案」等がさうだつた。芸能人と左派メディアが、「反権力」「反政府」といふ符牒で見事に同調したのである。

勿論それは政治といふ次元ではなく、メディアによる恣意的な情報操作であり、その目的は権力者が傷つくことならすべて良しといふ〝いじめ〟に等しい。メディアにとつて恥づべきは発信者の〝浅薄さ〟だけが利用価値であり、彼らが持つ「顧客国民」への影響力の大きさに恃んでゐることだ。この〝浅薄さ〟は必ず、ある種の無智へと転化し無軌道となる。実質的なメディアによる芸能人をダミーにした、特定ターゲットへの集団リンチと変りない。だが「顧客国民」にとつてはこれも一種の〝サーカス〟なのである、彼らに国民の義務といふ意識は恐らく脳裏の片隅にも無いのだらう。まして自身で国を守ることなど想像を絶する。

他国なら至高の義務であるものが、長年外国軍に依存してゐることが所与なので、自身が主体たるべきなどとは思ひも及ばない。「顧客国家」の政府も「番犬」で十分といふ発想であつたから、国防の義務など寧ろ「軍国主義」を助長する危険なものでしかなかつた。今も国民の多くはその「番犬」たる米軍の存在すら認めず、出て行けと云ふ。自前の十全な軍隊も無いのに、これでどう国防が全う出来るのか。「顧客国家」の「顧客国民」とは斯様な存在なのである。

五．「顧客国民」からの脱却─「国防の国民化」へ

国家の栄枯盛衰、そして権力が腐敗するのは万古の摂理である。それはトゥキュディデスの時代から同様である。ただ唯一我が国のみ違ふのは国体による、すなはち万世一系の皇室の存在である。畏れながら皇室が腐敗しないのは、基本的に権力と無縁であつたからである。

天皇陛下の御稜威は時の権力の不敗を常に極小化し、歴史と伝統を背景に、徳の力で政治を復元してきた。

だが、「顧客国家」の「顧客国民」は先人が苦労に苦労を重ね維持して来た国の根幹たる国体といふものに無関心、と云ふよりその観念すらない。勿論男系維持や男子皇族の減少にも危機感はない。左派メディアに扇動されれば、歴史と伝統を無視するどころか自ら進んで破壊、女系天皇も「人権」の観点から容認する。軍事に関はることは全て忌避しながら、自国の安全保障だけは他国にやらせてゐる矛盾にも何の違和感も疑念もない。米国製「現行憲法」にも満足して、何と「九条を世界に広めよう」といふ。

これに比してスイスは人口八百五十万程度の小国だが、他国の「顧客国家」であつたことはない。一六四八年（ウェストファリア条約）以来の中立を死守してゐる。これは並大抵の努力ではない。西欧の中原で大国に囲繞されてゐる同国だが、端倪すべからざることが多い。赤十字で平和のイメージが強いが、決して平和だけ叫んでなどゐない。余り知られてゐないが、時計等精密機器が得意なのを活かして、機関銃等兵器も作つてゐる武器輸出国でもある。

我々が見習ふべきは、国防に関して国民全員が主体的にあらゆるレベルで役割を与へられてゐることだ。勿論徴兵もあり、スイスは「国防の国民化」が達成されてゐると云へる。その〝バイブル〟『民間防衛 スイス政府編』は他国にとつても民間防衛の亀鑑として今も価値がある。これを読むと百年単位に亘る国防の覚悟と備へが、永世中立を担保して来たことが分かる。一定の武力を有しない中立は、その維持すら出来ないのは世界の常識であらう。昔日、社会党が主張してゐたやうな「非武装中立」などといふ〝戯言〟を、国民全員収容できるシェルター完備のスイス人が聞いたら何と云ふだらう。

諸外国では国防は国民の「崇高で神聖な義務」として憲法等に明記される常識中の常識。我が国だけが例外で、かつて竹村健一が喝破した「日本の常識は世界の非常識」である。だから平然と経済第一主義で、国防は他国まかせで通商国家として繁栄すればいいといふ「町人国家」論や軍事的貢献を否定する「ハンディキャップ国家」論が正論の如く主張されてゐた。

何れも国家主権の放棄にも等しい暴論であるが、支持を集めた。国防が国民の義務となつてゐない国は、吉田の言葉通り「傭兵」でそれを賄ふことが通常の感覚となつてゐる。政府も国民を「顧客」として扱ふので国防の義務は課さない、それどころか徴兵を「苦役」と理解してゐるので、その実施はあり得ないと云ふ。何れの国にしても徴兵制にするか志願制にするかは政策の問題に過ぎない、だが国防を「苦役」扱ひする国は存在しない。

徴兵は「苦役」であるが志願なら「苦役」とならないといふのは屁理屈であり、自衛隊員への冒瀆である。志願であらうが徴兵であらうが国防の任務に就けば、当然ながら同じことをする。徴兵が「苦役」と云ふなら、志願で任務に就いてゐる自衛隊員は奴隷労働と等しいことをしてゐるといふ理解になるだらう。

をはりに

ケネディ（John F. Kennedy）が一九六一年の大統領就任演説で〝Ask not what your country can do for you, ask what you can do for your country〟と述べたのは、当時徴兵制のある世界最強の軍隊を有する非「顧客国家」（つまりは覇権国家）の国民ですら「顧客」化が進行して、「国家への奉仕」の精神の脆弱化を見たからだ。それは、建国の精神たるマニフェスト・デスティニー（manifest destiny）を忘れるなといふ警告でもある。ケネディは国民を「顧客」扱ひしない、国の為に自身の出来ることを考へろと訴へた。

アテナイは逆であつた。ペロポネソス戦争の敗因は、時の権力者による市民の「顧客国民」化とポピュリズムである。開戦前、戦争遂行は市民の総意であつたにも拘はらず、いざ始まるとその惨禍が余りに激しいので、「主権者」として自ら選んだ指導者（ペリクレス）を激情から弾劾馘首、かと思ふと再び登用といふやうな迷走をしてゐた。ペリクレスは「民意」に媚びない自ら信じる政策を実行する指導力もあつたが、彼の死後の為政者たちは互ひの中傷誹謗に明け暮れ、大衆には只管迎合。重要な政策も「民意」といふ多数決で決めてしまつてゐた。忘れてならないのは、権力者が戦争を忌避する市民を「顧客」扱ひしてからが、アテナイの凋落の始まりであつたといふことである。

戦後の我が国の政治家も悉く国民を「主権者」として「顧客」扱ひして来た。彼らは選挙の〝お願ひ〟しかしない。自主独立の為「顧客国家」から脱却すべく、国防の主体が国民たるべきといふ危機意識、つまりは「国防の国民化」を訴へた政治家がかつてゐたのか。今もゐない。いまだ憲法改正さへ出来ず、国軍の不存在にも何の感慨もない「顧客国家」の「主権者」には、脱「顧客」化など不要なことなのか。

オルテガの「国家の道徳性と生命力の程度が、（その国の）軍隊の完璧さの度合いでもって驚くほど正確に測られる」との指摘が正鵠を射てゐるとしたら、いつまでも「顧客国家」の「顧客国民」として、そして「専守防衛」といふ虚妄に甘んじる自衛隊といふ「軍隊」しかない我が国の「道徳性と生命力」とは、洵に憂慮に耐へないものだらう。

第七章

米国が韓国を「ヴェトナム化」する日——その時、日本は

（初出：『國の防人　第十二号』）

はじめに

単なる迷走か〝確信犯〟か、韓国のことである。二〇二〇年八月のGSOMIA（軍事情報包括保護協定）破棄以来、我が国とは国交樹立後最悪だが〝徹底抗戦〟の覚悟、だが〝片思ひ〟の「北」は依然つれない素振りで韓国には加担しない、中共は不気味に静観、そして頼みの同盟国米国はつひに激怒、文在寅政権に〝三行半〟を叩きつけかねない状況と云へる。敵と味方の区別がつかない戦略思考の欠如以前に、気に喰はないことがあると、すぐ蝟集して大声で喚き、挙句はものを叩き壊し火を付ける。我々日本人からすれば、単なる個人のストレス発散としても下品で粗暴な行為としか見えない。

ホーマー・ハルバートの『朝鮮亡滅』（一九七三年）にも、気に喰はないことには気が狂つたやうに大暴れせずにゐられない性格の朝鮮人が描かれてゐるので、これらは彼らの宿痾であらう。韓国（朝鮮）人のこの「激情」は、我々日本人には理解し難い。政権末期になると熱狂的に選んだ自国の指導者でさへ、本人や側近のスキャンダルが発生する度に強引に引きずり降ろし弾劾、それで溜飲を下げてゐる。今只管世論に迎合してゐる文も、それを恐れてゐるのだらう。まさに国民のほとんどがこと日本の問題となると、「理」で考へることはない。仮令彼らが熱狂から醒め理性を取り戻しても「日本＝加害者、韓国＝被害者」の図式は普遍である。彼らは我々に対して永久に〝十字架〟を背負はす気でゐる。

よつて、過去の条約や協定も「被害者」が〝あの時は間違つてゐた〟、〝この問題は例外である〟の一言でいつでも反古に出来ると考へてゐる。同時に自身で選んだ指導者に対して平然と弾劾出来るのも、同じメンタリティであらう。それが、自己否定であることにも気づかず、平然としてゐる国民といふことだ。特に「反日」といふ絶対化された〝イデオロギー〟の前では、彼らにとつての「事実」が修正されることは有り得ない。学術的な検証において発表されたものでさへ自身に都合の悪いとなると「親日」、つまりは「売国奴」扱ひされ、政府自身が弾劾する。この有無を云はせないやり方は、韓国人自身を自縄自縛し、やがて彼ら自身に跳ね返ることになるだらう。

この〝イデオロギー〟がある限り、歴史の真実は捨象され、捏造と虚偽の物語が「正史」となる。支那人が云ふ「愛国無罪」同様、かかる「国是」の前では「理」が尊重されることはない、如何なる国との条約や協定も彼らの「正史」と平仄が合はないといふ理由だけで、躊躇なく破棄される。

小論は、かかる韓国の同盟国であり、ヴェトナム戦争といふ巨大な負の経験を有する米国が、再び分裂国家に対して如何に「関与」していくのか、またそのレベルはどうなのか、「ヴェトナム化」はその一つであるが、更に有事の際のオプションとはどのやうなものが想定されるのか、それらを比較検討することで、今後の我が国の軍事外交の在り方を検討するのが目的である。それは、これまでのやうに日米同盟の枠内の思考だけではなく、如何に我が国独自の軍事外交を打ち出せるかの試金石であることも間違ひない。

一・誰が韓国の独立を阻害したのか

韓国は米国の同盟国であり、我が国は米国の同盟国である。本来なら、日韓両国は準同盟もしくは「戦略的パートナー」でなければならない。だが、韓国は我が国が旧宗主国（正確には合邦なので同一国民だが）であつたこと、もしくはさういふ歴史も絶対認めてゐない。それは「過誤」さらには「犯罪」であり、独立を奪つた日本は永遠に「加害者」として謝罪せねばならないといふ認識である。しかし日韓協約、日韓併合は、フィリピンに対するスペインや米国、インドネシアに対するオランダ、ヴェトナムに対するフランスのやうに力で制圧したわけではないし、勿論戦争などしてゐない。国際的にも認知され、正統な国際条約によるものである。

日清戦争は朝鮮半島の独立を巡つて起こつたが、我が国の勝利で韓国は大韓帝国として晴れて正式な独立国となつた。そして日韓攻守同盟が成立、我が国の同盟国となり、支那（清国）やロシアからの蹂躙も防げるはずであつた。だが、その後も肝心の李王朝政権がロシアにまで、鉱山の採掘権、木材の伐採権、電信の敷設を許容し、「少なくとも北部韓国がロシアの支配下に入るということは、ただ時間の問題に過ぎないようにみうけられた」（F・A・マッケンジー『朝鮮の悲劇』一九〇八年）。

当時の韓国は世界最貧国の一つで、国家としてのファンダメンタルズも全く欠け、道路、港湾、鉄道、治水、電力、植林、通信、警察等全く整備されてゐなかつた。学校制度、義務教育もなく、衛生状態も酷かつた。バード・ビショップは『三十年前の朝鮮』（一九二五年）で当時の「ソウルは穢いことと臭いことでは、世界一である」と記してゐる。また伝統的な身分制度も厳しく、「両班」と呼ばれる特権階級が恣意的に、「中人」、「常人」、そして賤民たる「奴婢」を支配、特に官僚の腐敗は目を覆ふばかりで「彼らは民の膏血を搾り取る吸血鬼」（ビショップ）とまで云はれてゐる。制度的にも実態としても近代国家とはとても云へなかつた。一般論でも、このやうな国に関与することは、大いなる負担でしかない。

しかし、我が国としては一衣帯水たる韓国防衛は、イコール日本防衛でもあり、山縣有朋が云ふ「利益線」の防衛でもあつた。清国も同様である。満洲は実質的にロシアの勢力下となり、朝鮮半島への拡大は必定であつた。かかる状況で、清国はロシアの蹂躙を許容し露清条約を結び、その秘密条項で実質的な同盟国でもあつた。勿論、当時の我が国は知らない。我が国としては当時世界最強と云はれたロシア陸軍との直接対峙は何としても避けたかつたが、このままではロシアの南下は時間の問題である。ロシア戦は必至であつた。

日露戦争に辛うじて勝利した我が国が、満洲と半島への関与を、安全保障上継続せねばならなかつたのは当然である。協商関係を結んだとはいへ、ロシアがいつ復仇戦を挑むか分からないからだ。伊藤博文は主に財政的な負担（韓国自身も多額の債務を抱へてゐた）や対ロシアとの関係で、併合には反対であつた。伊藤は若い時英国に留学してゐたので、英国とアイルランドの関係を知つてゐる。アイルランドに手を焼く英国を見て、韓国が日本にとつての「アイルランド」になることを危惧してゐたのかもしれない。

では、諸外国は韓国をどう見てゐたのであらうか。駐韓英国公使ジョーダンは「保護国以外には当地（韓国）を救ふものは凡そ何もないであらうと私は確く思つてゐる。韓国人自身の利害の為に之が唯一の可能な解決であり、官吏連中を別にした民衆は過去十年の名目的な独立の期間中擁して来た政府よりはその方を限りなく好むであらうと信じてゐる」（一九〇五年五月）とマクドナルド駐日英国公使に私信を送付してゐる。

同じく駐韓米国公使アレンも「米国が感情上の理由から韓国をその独立について支援するやう赴くとすれば、米国は大きな誤を犯すであらうと私は信じる。韓国民は自己を治めえない。（中略）韓国は日本に所属すべきものと考へる」（一九〇四年一月）とロックヒル（元駐清米国公使で国務省顧問）に伝へてゐる。そのロックヒルも「韓帝国の独立を支援する為にわが政府がその勢力を行使するいかなる見込も看取しえない」（一九〇四年一月）とし、ルーズベルト大統領も同様「韓国を日本の勢力圏に置くの権利ありと信ず」、「日本は朝鮮を保護国とすべきである」（一九〇五年一月）との認識であつた。

つまり当時韓国の独立維持は、仮令我が国が関与しなくてももはや不可能であり、我が国でなければ他の大国、なかでもロシアが出てくることは明白であつた。有体に云へば、名目的な独立を維持しても「韓国民は自己を治めえない」ので何れかの国の〝餌食〟になるのは必定で、かかる蹂躙を避けるためにも然るべき大国の庇護を受ける方が、韓国民にとつても幸福であるといふ理解であつた。寺内正毅は山縣有朋宛書簡で、併合前の韓国の動向を「京城は、日本人側よりは寧ろ韓人が静穏に御座候。この現象は従来になき事之由に御座候」と伝へ、同時に韓国人官吏の腐敗より在韓邦人（官民）の韓国人への侮蔑行為等を早く一掃すべきことを強調してゐる。当事者たる韓国人自身のほうが、冷静であつたのだ。

韓国人が独立を維持し得なかつたのは、韓国人自身の所為である。我が国の所為ではない。列強は我が国主導で半島を安定化（支那、ロシアの排除）を図ることが、平和維持であり、何より韓国のためと認識した結果である。現在の韓国及び韓国民は、この歴史的事実をまず学ぶべきである。

二・「ヴェトナム化」望む韓国

〝America first〟とか〝Make America great again〟等ドナルド・トランプ大統領（当時）の言葉は分かりやすい、そして喜怒哀楽も激しい。およそ主要国の元首としての品位があるとは到底思へないが、それ故にミドルクラス以下の米国人にとつては、その単純明快な言動に溜飲が下がることも多いのだらう。かかるトランプは、朝鮮半島をどう見てゐるのだらうか。トランプは機会主義者であり功利主義者、損なことはしない。今は、まづ来年（二〇二一年）の大統領選挙である。現在「北」の短距離ミサイル発射を「容認」するのも、「北」との交渉を打ち切らないで、早く一定の「成果」（勿論選挙のために）を出したいからである。逆に韓国へは、対日ＧＳＯＭＩＡ破棄以来、嫌悪を露はにしてゐるが、韓国の問題は「得点」にならない。

勿論、米韓同盟があるので連携を前提としてゐるが、文の為体を見てトランプは最後まで南ヴェトナム政権グエン・ヴァン・チューを支援した轍を踏まないやう、早めに〝三行半〟を突きつけるかもしれない。当時の南ヴェトナムは米国の支援があつたとはいへクー・デタ等で政権は安定せず、ベトコン（南ヴェトナム民族解放戦線）はそれに乗じて「南」を攪乱し続けた。当時、反共「ドミノ理論」が幅を利かせてゐたので、米国は南ヴェトナムを見捨てることが出来ず、如何なる犠牲も厭はなかつた。だが、深入りすればするほど「名誉ある撤退」は困難となり、米国にとつて「撤退」とは実質的な「敗北」を意味した。ロバート・マクナマラ（当時、国防長官）が後に回想してゐるやうに、ヴェトナム戦争は「内戦」だつたのである。要は、内戦には関与すべきではないといふのが、教訓である。

その後ジョン・Ｆ・ケネディとの接戦に敗れたリチャード・ニクソンが雪辱を果たし大統領に当選、最大の懸案であるヴェトナム戦争について、〝end the war and win the peace〟

と述べた。ここで留意したいのは戦争に勝つとは云つてゐないことだ。戦争を終らせ、平和を勝ち取ると云ふのである。この時点（一九六八年）で米国はこれ以上の犠牲を以て、戦争を勝利で終らせることが不可能と認識してゐた。その代りニクソンは「ヴェトナム化(Vietnamization)」といふ戦略で、南ヴェトナムの軍事力を強化し、共産主義に対抗できる勢力としてヴァン・チューを支へる決意をした。具体的には、その兵力を百万人規模に拡大し、最大時五十万を超えてゐた米軍は十三万九千人に縮小した。要は、すべて「南」でやれといふことである。米国は一刻も早く〝名誉ある撤退〟をしたかつたのである。

　だが、米軍が「北爆」や港湾を封鎖してゐる時はいいのだが、やめた途端「北」の攻勢となるので、それ以上の兵力の削減がなかなか出来ない。かかる状況が続き、政府と対立してゐた議会は、遂に七億ドル（一九七四年）しか予算を認めない決定を下し、米国は「南」を放棄せざるを得なくなつた。米軍の地上兵力のゐない「南」が、ホー・チ・ミンに勝つことは出来ない。勿論、韓国は南ヴェトナムとは大いに違ふ、今や中級の輸出主体の産業国家である。一人当たりのＧＤＰも三万ドルを超えてゐる。

　特徴的なのは、文がヴァン・チューと違ひ「反共主義者」でなく、民意に迎合するポピュリストであり「反米主義者」といふことである。寧ろ「主体思想」に親近感を有するリベラリストで、民族意識だけが過剰の「反日」主義者でもある。「北」との夢想的な一体感（euphoria）が、常に彼を包んでゐる。米国にとつても半島有事は、もはや「ドミノ理論」に基づいた反共のための戦争ではない。「北」の非核化達成が目的である。だが、韓国内は「親北」(現政権支持のリベラル)と「反北」(反現政権の保守)で二分されるなか、文政権は日米を無視して「親北」を鮮明にする。「南」は、恐怖政治で強制的に「一枚岩」を創出する「北」の敵ではない。このやうな状況では、如何なる米軍の支援も無駄となる。

米韓同盟が存在しても、「内戦」に米国が再び地上兵力を投入することは、ヴェトナム戦争同様泥沼となりかねない。イランの問題もあり、アフガニスタンからの撤退も完了してゐないのに、さらなる兵力投入、少なくとも地上兵力の投入は躊躇するであらう。空爆にしてもヴェトナムの事例のやうに、低い生活水準の国には最低限度の影響しか与へない。そもそも在韓米軍撤退は、トランプの「公約」でもある。それが分かつてゐて「北」に一方的な〝ラブ・コール〟を送り続ける「南」なのである。中級国家となつた裕福な韓国が、米軍抜きで「北」と戦争などするつもりはあるまい。この状況を見透かしたやうに「北」は激しく文政権を批判、短距離ミサイルを撃ち続けてゐる。

本来なら、その「公約」を撤回させるべく動かなければならないところ、文政権は全く真逆の動きに終始、その典型が我が国とのGSOMIA破棄である(その後、破棄通告の効力停止をしてゐるが)。米国としては、トランプの「公約」を実現せざるを得ないのかもしれない。また韓国は文政権以前から半島有事に我が自衛隊の関与を拒絶すると云はれてゐる、それが本当ならGSOMIAなど何の意味もない。平時の情報交換など、有事に活かしてこそである。日米韓連携など画餅に過ぎない。文をみてゐると本気で有事を考へ、朝鮮戦争を最終的に勝利で終らせる気など微塵もない。このままなし崩し的に「停戦」を「終戦」にするつもりだらう。

繰り返すが、韓国のやうな中級国家が、もはや国内を戦場にすることは不可能であり、何より国民が支持しない。要は、戦争など絶対したくない、敗けても無傷の方がいいと思ふのである。一九五〇年の韓国と違ひ、今やOECDやG20のメンバー。対して「北」は失ふものがないのが強みである。それだけに戦争へのハードルはもともと低く、勝つまで耐へる意志も強固である。文が望むやうな「停戦」を無為のまま、「終戦」にはさせない。朝鮮戦争が「北」の攻撃から始まつた如く、第二次朝鮮戦争も「北」から攻める蓋然性は高い。また「北」は米国が核保有国を攻めない、そんなリスクを取らないことも十分理解してゐる。

以上の状況を勘案すれば、半島有事に米国が「関与」しないオプションは有力となる。重要なことは「南北」とも国連加盟の主権国家であるといふことだ。文の夢見る「統一朝鮮」は平和裡に実行されるのではなく、「北」の「自衛権」発動で実現するといふ逆説である。毛沢東の云ふやうに「政権は銃口から生まれる」。それは韓国にとつて、かつての南ヴェトナムの如く、「ヴェトナム化」された挙句の国家消滅の始まりでもある。

三．二期目を目指すトランプは

いまトランプは政権二期目を目指して、それに注力してゐる。内政外交は問題山積である。内政では、雇用問題、メキシコとの「壁」等不法移民問題、外交ではまづ中共との「貿易戦争」、イランの「核」及びホルムズ海峡の航行安全確保、アフガニスタンでの米軍駐留等々である。米国で北朝鮮問題のプライオリティとはどの程度なのだらう。少なくとも普通の米国人にとつて、死活的な話ではない。「北」が米国に擦り寄るのは、自らを対等に交渉すべき〝有資格者〟たるアピールと将来の半島でのイニシャティヴ確保の為である。だから、「南」に冷たい。米国も「北」さへ抑止出来れば、形骸化した米韓同盟、特に文政権など眼中にないのだ。

トランプ政権は、米軍撤退後に有事が発生した場合の戦争の形態について、その時の「北」への中露の「関与」の方法、また「統一朝鮮」が出現した場合、それが米国の東アジア政策に如何なる影響を与へるか等、国益の極大化とリスクの極小化を検討してゐるはずだ。今では考へられないことだが、ヴェトナム戦争では「ドミノ理論」が所与となつて、ソ連との対峙で前のめりになつてゐた米国は、このやうなことを一切検討してゐなかつたのである。

半島有事は地上戦となる。地上兵力は地上兵力でしか制圧出来ない、航空戦力だけでは片が付かない。もし米国が地上兵力を投入しなければ、「北」にも、この「内戦」に勝つチャンスはある。現在「北」が頻繁に発射してゐる短距離ミサイルは比較的複雑な航跡をとるので迎撃が困難、「南」の防空能力では全て対処出来ないだらう。まして多連装ロケット砲等で飽和攻撃されれば、完全に防ぐことなど絶対出来ない。

先験事例がある。第二次レバノン戦争（二〇〇六年）で武装組織ヒズボラがイスラエルに打ち込んだ精密誘導装置のない旧式のイラン製ロケット砲での約四千発は、イスラエルの非戦闘員三十万人を大混乱させ、避難に追ひやつた。まして人口密度の高い韓国都市部であればその被害は、想像を超える。トランプでなくても米国大統領なら、朝鮮半島で二度と他国の為に米国の若者が血を流すのを見たくないはずだ。今さら半島有事で米軍を出動させるなど膨大な経費がかかるだけでなく、国論を二分し選挙にも影響する。一般の米国人にとつて、朝鮮半島などなんといふことはない、遥か彼方のこと。「アチソン・ライン」が対馬以北に戻るだけなのである。

事実、トランプは静観してゐる。「北」の国連決議違反と核開発は見て見ぬふり、頻繁な「飛翔体」発射も、それが「短距離」といふだけで容認してゐる。そして、遂にはＳＬＢＭ（潜水艦発射型ミサイル）と大型多連装砲ロケットの開発となつた。ＳＬＢＭに核が搭載されたら、「北」は名実ともに核保有国として大きな抑止力を得ることになる。また多連装砲ロケットは、有事の際、韓国を「第二のイスラエル」にするだらう。トランプが在韓米軍を撤退させたら、韓国への支援は極めて限定的なものとなるが、文はそれを望んでゐるやうにも見える。米軍の撤退は、韓国の「ヴェトナム化」の始まりであるが、それは「北」の切望するところでもあり、半島の融合を加速させる。これで戦争の蓋然性を逓減させるのであれば、「北」も歓迎するはずと云ひたいが、そんなに「北」は甘くない。「北」は開戦の機会と捉へ、ホー・チ・ミンのゲリラ戦略を実践するだらう。

「北」は総合的な国力では圧倒的に弱いが、弱者故の戦争に耐へる力「損害許容限度」が高い、金正恩圧政下では誰もが生きるか死ぬかである。「北」において「首領」に逆らふことは、即、死を意味するが、裕福な民主主義国では戦争を忌避する世論が多い。故に幾ら米国が「南」を支援しても、その「損害許容限度」が圧倒的に低ければ、必ず敗ける。半島有事は日米にとつての〝悪夢〟だが、それは中共も同様である。ならば〝悪夢〟に「関与」しない、つまりは「中立」である。如何なるレベルでも一旦「関与」すれば「撤退」は簡単ではない、特に〝名誉ある撤退〟に拘れば尚更である。これもヴェトナムの教訓である。

もとより「北」の〝保護者〟たる中共も、米国との対峙は望んでゐない。米国も〝貿易戦争〟中の中共とこれ以上の対立は避けたい。だとすれば「中立」は米中共通の利益となる。そして、それは半島有事を「内戦」と共通認識したことでもあり、事実上(de facto)「北」の「核」容認となる。先述したやうに、現状では「南」から戦争を仕掛けるオプションはないので、「北」から攻める。だが、中共に参戦は求めない、「中立」たる調停者としての役割を期待する。「北」が先制攻撃すれば「南」の「損害許容限度」は「北」より圧倒的に低いので、意外に決着は早い。ヴェトナムも、「北」が「南」に侵攻してからは、わずか五十五日で陥落した。

半島の場合、「北」の最初の一撃で大混乱となった「南」をみて、「中立」の立場を取つてゐた中共が（ロシアも加へ）すかさず国連安保理に「南北」両国の「停戦」を提案する。米国も、中露の「停戦」案に拒否権発動は出来ないだらう。暫く局地的な戦闘が続いた後、中共主導の四国（南北＋中露）間で「停戦」を協議、そして一国二制度を当面維持した「統一国家」へのロードマップを一気に敷き、北の「核」も中共が共同管理するといふシナリオである。「北」と中露の〝出来レース〟に近い。

日米は蚊帳の外である。だが、米国にとつても「核」の「北」単独保有より遥かにましであり、「北」も中共には従ふ。「南」も黙従する。ヴェトナムの如く、貧国が富国を呑みこむ〝怪〟である。米国にとつて、「北」主導の統一国家出現とは第二次大戦後の〝Loss of China〟、〝Loss of Cuba〟、〝Loss of Iran〟に続く〝Loss of Korea〟となる。東アジアは、日清戦争以前の状況への回帰となるが、その時の「統一朝鮮」は、核保有国として日米と対峙するだらう。以上のシナリオは、あくまで筆者独断の半島有事のシミュレーションであるが、我が国の備へは十全なのだらうか。

四．日本の選択肢

半島有事において我が国の選択肢は四つある。韓国の「ヴェトナム化」後、仮令米韓同盟が存在しても米国は本格的な地上兵力投入は控へ（地上兵力は少数でも一旦投入すれば、敵の対応により増加せざるを得ないのはヴェトナムはじめ通例である）、空母戦闘群を派遣。我が国もその護衛にイージス艦等派遣により、共同で防空支援、海上封鎖を実施する。二つ目は、米国が一つ目のやうな空母は派遣せず後方支援、兵站のみを担ふ場合である。その場合は我が国も、米軍の後方支援といふ間接的なものとなるだらう。三つ目は、米国が「中立」を宣言した場合、我が国はどうするか。結局米国同様、「関与」しないといふことにならう。四つ目は、米国があらゆるレベルで「関与」したとしても、我が国は独自に局外「中立」を宣言、在日米軍基地も使用させない。独自の判断で、半島有事を「内戦」と規定して干渉しないといふことだ。この場合、我が国に危害が及ぶ可能性が高まらない限り、米国の支援もしない。以上四パターンが想定される。

蓋然性の高いのは、米韓同盟ある限り一番目のオプションであるが、間違ひなく我が国の「関与」を韓国自身が拒否するだらう。また、米国にとつても海空での「関与」が、地上兵力投入を誘因する「引き金」となりかねないのは、ヴェトナムと同様である。その教訓を米国が理解してゐれば、既述したやうに後方支援のみ、さらには「中立」といふことも有り得る。さうなると我が国は如何に対応すべきなのか。勿論、我が国の主体性より有事のレベルと米国の対応次第であり、我が国はその「従属変数」とならざるを得ない。その前提があるのは承知だが、我が国は基本的に「中立」がベターであると思ふ。特に第四のオプションは日本独自の判断である。

勿論ベストではない、何も支援しないでアチソン・ラインが下がるとすれば、我が国にとつても「利益線」の喪失であり、国益に反する。だが、韓国が我が国の「関与」を欲してゐない以上、仮令米国の要請があつても、こちらから頭を下げて無理に行く必要もあるまい。韓国にとつては我が軍の「関与」は友軍としてではなく、「敵」の新たな「侵略」としてしか捉へられてゐないのである。何より文政権に「内戦」を勝利する気概は無いし、国民にそれを訴へる節も無い。実行してゐるのは「慰安婦」、「徴用工」と兎に角「宿敵」日本打倒だけである。しかもそこで言及されるのは「北」との宥和、同じ民族が団結して当たれば怖くないといふ根拠の無い「自信」と「確信」のみである。日本を〝friend or ally〟などとは微塵も思つてゐないのだ。

さうなると第四のオプション、つまり米国の要請があつても、我が国に危害が及ばない限り、「南北両国家の内戦」として「関与」しないことは、我が戦後外交のエポック・メイキングとなる。初めてその主体性を前面に出すからだ。内外に「中立」を闡明し、在日米軍基地もその使用を許可しないといふことである。そのため米軍はグアムからの出動となる。このことを韓国は覚悟してゐるのか。「核」の問題については、既に「保有」したものの破棄は現実的には無理である。寧ろ、それを如何に管理するかである。米国が「関与」すれば、「北」は絶対に放棄しないのは自明。であるなら先述のとほり安保理常任理事国として、中共の責任で取り込んでいくといふオプションの方が遥かに現実的である。所謂「ダブルキー」(二国共同管理)である。「北」も、それならメンツがたつし、暴発も出来ない。何よりこれで米国の負担が、大幅に軽減される。

これまで、「北」の非核化にどれだけの時間とコストをかけてきたか、結果的に全く無駄であつたことを想起すべきである。これもヴェトナム戦争の教訓である。少なくとも戦費千五百億ドル(当時)を使ひ果たした挙句の「撤退」であつた。「第一列島線」上の台湾を米国が見捨てることは決してないが、東南アジアや朝鮮半島は違ふ。我が国も第三、もしくは第四のオプションを想定してシミュレーションする必要がある。特に「核」保有の「統一朝鮮」の誕生が、東アジアの戦略バランスに如何なる影響力を与へるのか。それを考へるなら、我が国も台湾との関係強化、米国との「核」のシェア等今直ぐ検討されるべきであらう。

をはりに

我が国の政治家はじめ有識者は、国防といへば馬鹿の一つ覚えのやうに〝強固な日米同盟〟

と云ふ。今や自衛隊も世界有数の装備と実力を誇り、日米同盟はインド・太平洋のスタビライザーである。だが、その世界最強コンビが、同胞たる無辜の少女一人救へない。誰の為の、何の為の同盟なのか。我が国は今一度考へ直す必要がある。「拉致」は安倍首相（当時）が米国大統領と幾ら会つても何ら動くものではない。何故、問題が解決しないのか。極論で云へば、我が国に「核」がないからである。「北」は核保有国には「敬意」を持つ、核保有国とは話をする。それは最終的に対峙した時の、彼我の戦力を考慮するからである。これは諸外国に対しても同様で、「北」は核保有国として、米国と「対等」といふ立場は決して崩さない。

彼らは「核」があればイーヴン、少なくとも敗けることはないと考へてゐるからこそ、「核」とその運搬手段に拘泥する。「核」と「拉致」とは無関係ではない、「拉致」は我が国防の不備から生起してゐるものであり、「核」といふ国防を抜本的に改善、かつ外交力を高めるオプションを最初から除外してゐることに起因するものだ。我が国が核武装を決意すること、それは国民の生命、財産は他国の助けがなくとも必ず守り抜くといふコミットメントでもある。米国の「核の傘」の信憑性とは、唯一在日米軍の存在だけである。実際正式な文書もないし、核攻撃があつても在日米軍が無傷の場合、それが本当に機能するかどうかは大いなる疑問である。

「核」をはじめ、対手を畏怖させるやうな均衡する軍事力があつてこそ、一国の外交は成立する。ＮＰＴ体制の〝優等生〟などと煽てられてゐるうちは、まともな外交など出来ない。

かつてシャルル・ドゴール率ゐたフランスはＮＡＴＯの一員ではあるが米国とは距離を置きつつ、少数の戦術核を保持することにより米国とは一線を画した自主独立路線を目指した。ドゴールは「核」の無いフランスが、他の大国相手に十全な外交が出来ないことを熟知してゐたからだ。逆に云へば、少数でも十分に「抑止力」が担保されうると考へたのである、それはフランスの独歩を確保するための保有でもあつた。

我が国にとつて「核」保有の「統一朝鮮」が〝悪夢〟と云ふのなら、これを〝悪夢〟のままにするのではなく、我が国の主体的な軍事・外交への転回点とすればいいのである。日米同盟は米英のやうな特別な同盟（special relationship）ではない、英国は米国の元宗主国であり、同じクリスト教圏の云はば同文同種。日米は、異なる文明の東西太平洋の二大海洋国家である。我が国は自主独立の国家として米国とは、対中、対露そして「統一朝鮮」へのプラグマティックな「戦略的パートナー」として歩むべきである。

第八章

米対中外交の歴史的蹉跌と日本

――「日本精神」としての対米自立

（初出：『國の防人　第十七号』）

はじめに

ポンペイオ米国務長官（当時）が昨年（二〇二〇年）七月二十三日、カリフォルニア州のニクソン大統領記念図書館で演説を行つた。それは一九七九年の米中国交樹立（台湾との断交）以来の大転換とも云ふべきものであつた。この三十年の米国の対中姿勢を概括的に云へば、クリントン政権は「建設的な戦略パートナー（constructive strategic partner）」、ブッシュ（子）政権は「戦略的競争相手（strategic competitor）」、オバマ政権はどちら付かずで、結果的に「戦略的忍耐（strategic patience）」といふ彼の無為で、中共（共産支那）の野放図を助長させてしまつた。その反省からトランプ政権では当初よりブッシュ同様「戦略的競争相手」と位置付けたが、それがチベット、新疆ウイグルや香港、貿易問題等で「戦略的脅威（strategic threat）」にフェーズが上がり、この声明でさらにそれを明確化、〝敵〟に近い概念として認識されたと思ふ。

ポンペイオの危機感は、米国が今後あらゆる局面で中共に凌駕されることがあれば、世界は彼らの「規範」に従属せざるを得ないといふものである。好むと好まざるとに拘らず世界は米中何れかの二者択一を迫られるわけだ。斯様なステイトメントは冷戦時代にもなかつた、第二次大戦後の米外交史上はじめての事であらう。かつて世界を二分した米ソ冷戦構造は、核抑止力によりそれぞれ違ふ二つの世界を棲み分けてゐた相互不可侵の「安定装置」でもあつた。だが今その垣根はなく、それぞれが個々に争ふ世界である。

西欧も日本もＮＡＴＯや日米同盟といふ紐帯はあるものの、かつてのやうに自由主義陣営をリードするパワーは米国にない。また何れの国においても内政に苦慮、特に米国における民意の分断は顕著かつ深刻である。他方中露は対米では結束してゐるやうにも見えるが、彼らが歴史的に「一枚岩」であつたことなど一度もない。いまや中共はロシアなど眼中になく、米国に代はる覇権国家たらんとしてゐることは自明であり、米国にとつてはかつてのソ連以上の「脅威」となつてゐる。

　そもそもポンペイオ演説の底意は、この半世紀近く中共を「パートナー」として遇し、ＷＴＯやＩＭＦ等国際機関に参加させて来た「関与政策（engagement policy）」が間違ひであつたといふことである。かつて米国は中共を民主主義諸国の規範に誘ひ、それを遵守させて行けば、まず経済から人民は豊かになり、必然的にそれが政治へも影響して民主化するであらうといふ期待があつた。しかし現実は、多くの国際機関で〝庇を借して母屋を取られる〟始末で、ＷＨＯのやうに自身がトップでなくても陰で操つてゐる現状がある。世界の規範を受容するどころか、全ては妄想に近い「大中華帝国」建設の野望実現の為、他国への政治的経済的支配を加速させただけであつた。

　今次バイデン民主党政権となり、当然乍ら共和党とは「脅威」への〝温度差〟はあるだらう、だが米国民の七三％（ピュー・リサーチセンター）が「好ましくない」とする対中世論が当分変ることはない。民主党伝統の対中宥和姿勢は取りにくいはずである。貿易摩擦等経済問題は解決の必要があるが、当面は中共を「脅威」と位置付けざるを得ないので、バイデンもトランプ同様対中「デカップリング」（生産拠点やサプライ・チェーンからの除外）や香港、内蒙古、新疆ウイグル等の人権問題では厳しい対応を取るだらう。

それらは欧州、日本など同盟国との協調で行はれ、失はれてゐた米国のリーダーシップ回復により同盟国の信頼醸成と威信復活に注力するであらうことは、自身の論文（〝Foreign Affairs〟March/April,2020）からも読み取れるが、不確定要素も多い。安倍首相（当時）のイニシャティヴで始まつたＱＵＡＤ（日米豪印）の枠組みも維持される見込みだが、それは軍事的コラボレーションでなく、人権分野で機能させるかもしれない。中共ともＣＯ２排出、核拡散、気象問題そしてCOVID-19では協力関係を模索し、貿易はトランプほど露骨な制裁措置は取らないとの予測もある。基本的な対中包囲網のトーン＆マナーは維持して同盟国や友好国との協調で対峙していくだらうが、トランプに比べ宥和的になる蓋然性は否定出来ない。

斯様な状況に鑑みつつ、小論は米国の東アジア政策なかでも対中外交を歴史的に概括した上で、近年の米中対峙激化の中での日米同盟特に我が国の対応について言及する。だが、その論点を我が国の主体性に求めれば、それが米国以上に困難なものであることもまた自明である。少なくとも米国にとつても我が国にとつても中共の「脅威」は強くなることはあつても弱まることはないといふのが、今の共通認識であらう。

一．「意志」が「能力」に勝る時

もともと支那人は「親米」どころか「崇米」といふメンタリティが強く、都市部のインテリ層にそれは顕著であつた。蔣介石、宋三姉妹、馮玉祥等がクリスチャンだつたことも周知である。毛沢東も「親米」「崇米」が瀰漫してゐたことに苦慮してゐたが、それはいまだ継続してゐるやうで学生の留学先は米国が多い。米国が世界最強を誇る限り、「崇米」とそれと表裏の「恐米」といふアンビヴァレンスは続く。それを乗り越えるには、米国をあらゆる分野で凌駕するしかない。

その手始めの海洋進出、太平洋は米国と二分せねばならない。大東亜戦争までの我が国がさうであつたやうに、少なくとも一方の盟主としての地位を得ること。米第七艦隊に対抗すべく内海海軍（brownwater navy）から外洋海軍（bluewater navy）建設に血眼になつてゐるのは、この為である。いつの世も外洋を制する者は世界を制する。今後も中共にとつて自由主義陣営は「脅威」であり「敵」であらうが、同時に国内の大多数の人民も同様「脅威」なのである。共産党一党独裁の下、抑圧されてゐるのは新疆ウイグル、内蒙古、香港等だけでない、恐らく全ての人民がさうなのである。

中共政権が一党独裁を続ける限り、必然的に徹底した人民の管理・統制が不可欠となる。だが、彼らが自身の「正統性（legitimacy）」と「正当性（rightfulness）」を主張すればするほど人民の支持は離れ、抑圧すればするほどその反発は激しくなるといふジレンマが付きまとふ。中共が最も恐れるのは民主主義諸国と連携した人民の反乱である。東欧諸国や北アフリカ諸国がさうであつたやうに、小さい抵抗から「穴」が開き、それが大きなうねりとなつて拡がるのは誰にも止められない。レジーム・チェンジは無血では成就し得ないだらうが、体制変革への熱情は支那人民も同様である。

今日、G7等先進国では共通して中共を「脅威」(少なくとも潜在的に)と認識してゐると思ふが、そもそも「脅威」とは如何なるものであらうか。一般的に「脅威」とは軍事的、経済的、文化的と様々なファクターがあるが、それらの質的差異や量的相違は測定出来るものなのか。ジェイ・デビッド・シンガー(J. David Singer)によれば「脅威」とは、相手の「能力」と「意志」の積(Threat-Perception=Estimated Capability × Estimated Intent)といふ。つまり「脅威」とは積算された対手の「パワー」の総体と等置なので、端的に云へば綜合的な「戦力」である。「能力」は「敵」の軍事パワーはじめ、政治的、経済的なものだけでなく文化領域や情報通信等のソフト・パワーも含むだらう。だが、「意志」は相手が明示するステイトメントやその行動から推測するしかないインタンジブル(intangible)なものである。「能力」は主に物理的、可測的なファクターなので客観的な分析も可能だが、「意志」は本来エスティメイト(estimate)出来ない。問題なのは「意志」の高低や強度を分析するファクターが曖昧で、不確実であることだ、故にどの国もその「質と量」を見誤ることがある。

例へば、対米戦争において我が国は米国民の戦争忌避の性向を強く認め、彼らの「意志」

は極めて脆弱とみてゐた。よつて劈頭に壊滅的な打撃を与へれば決して本格的な戦ひには至らないと判断しての開戦であつた。同様に米国もヴェトナム戦争を「能力」の圧倒的な違ひにより楽観視し、ヴェトナム人の「意志」を甘く見てゐた。結果、支那事変同様泥沼のやうな地上戦を強ひられ、想定外の長期戦となつてしまつた。これらは、日米共に相手の「意志」の〝強度〟を読み違へた結果である。

我が国は「奇襲攻撃」を〝騙し討ち〟と喧伝されたことで米国民の戦争への「意志」を倍加させ、実際に戦争を忌避してゐた彼らを百八十度転換させてしまつた。結果、自由主義陣営の盟主として「侵略」から同盟国を守るといふ、ローズベルトの目論見通りの堂々たる開戦名目を我が国は与へたわけだ。逆にヴェトナム戦争では、米国は自身の「能力」の戦略・戦術的過大評価を招き、北ヴェトナムの脆弱な「能力」故の、それを補ふ戦争継続さらには勝利への「意志」の大きさが分からなかつた。ヴェトナム人にとつてヴェトナム戦争は「内戦」、つまり他国の容喙を断固拒否する「民族戦争」であつたといふことが、如何なる人的物的損失も許容させたのである。損失への〝許容限度〟の高さが、米国を圧倒してゐたわけだ。つまり「能力」が脆弱でも「意志」さへ強固であれば、対手の「能力」を無力化させ得るといふことである。

かつて毛沢東も米国を「張り子の虎」と呼び、自国は仮令原爆で一千万人殺されても敗けないと豪語してゐた。これを額面通り受け取れば、中共の〝損失への許容限度〟は、とてつもなく高いと云へる。だが、これは毛の「意志」であり、当然ながら支那人民の「意志」ではない。毛にとつて民主主義国家のやうな多様な民意をどう追求するかなどといふことははじめから慮外であり、勿論〝コストと効率〟の問題でもなく、共産主義の原理原則を毛沢東式にどう実行するかが中共の「意志」となる。

独裁国家は最高指導者の「意志」がそのままルソーの云ふ「一般意志」となるので、それに反する民意があつてもそれは国家への反逆であり、非愛国的行為となる。共産主義社会においては人民も国家に従属する「所有物」であり、人民は「一般意志」に従ふことが求められる。毛の発言は冗談ではなく、仮にマッカーサーがトルーマンの「意志」に逆らひ原爆投下したとしても、怯むことなく戦つてゐたであらう。これが独裁国家の強さであり怖さでもある。「脅威」に対する「能力」より、独裁者の「意志」の存在とその強固さである。但し、それは支那人民も同様で、彼らの自由と民主主義への「意志」は不可避的に体制批判を強めることになり、ソ連同様「一党独裁」を打倒へと導くだらう。だが、それは新たな「価値観」で人民を束縛しようとする別の独裁者を生むプロローグでもある。

二・読み違へた朝鮮戦争

第二次大戦後、それまで一地方政権であつた中共が国民党を駆逐して中央を掌握後、南北朝鮮の激しい葛藤のなかで米国との対峙から偶発したのが朝鮮戦争であつた。この戦争は実に特殊である。中共にとつてもそれは「中華人民共和国」といふ国ではなく、「中国人民抗米援朝総会」といふ〝団体〟が主体で、戦闘も正規軍の人民解放軍ではなく「中国人民志願軍」であつた。勿論、これは「国軍」としての人民解放軍の本格的な参戦を避け、「抗米援朝」の名の下に〝義勇兵〟を派遣することで、通常の国家間戦争とは違ふといふ、一定限度の〝距離〟を保つ意図があつたことは明白である。だが、それは何より毛が「予防戦争」の含意以上に、人民の「意志」による人民の為の「人民戦争」もしくは「民族解放戦争」と位置付けてゐたからに他ならない。

参戦は毛一人の「意志」つまりは独断であつた。林彪、彭徳懐、高崗らは戦争に懐疑的であつたが、毛は違つてゐた。米国の「侵略」は朝鮮半島だけでは済まず、満洲、台湾、さらには東南アジア、そして必ず支那大陸に及ぶといふ認識であり、既に満洲がソ連の強い影響下にあることも大きな懸念であつた。つまり米ソの影響力を極小化する為には、敵へて半島に「関与」することで逆にそこで喰ひ止める戦略である。中共にとつて「抗米援朝」とは云ひ条、その本質は満洲防衛といふ「予防戦争」として、朝鮮戦争は遂行されたといふことだ。それが毛の「意志」であつた。

既述のやうに毛は米国を「張り子の虎」と揶揄して、その戦力も「三短一長」（兵站線が長い。モラル／moral とモラール／morale 共に脆弱、軍内部の意見も不一致。唯一武器が優秀）と公言、逆に中共は米国とは真逆の「三長一短」故に勝てると主張。「三短一長」とは「唯武器論」批判である。支那事変中「中国の武器は日本の武器に劣るので、戦争で中国は必ず敗けるであらう」と考へる勢力が当時大半であつたのだが、毛はそれを「戦争問題における機械論であり、問題を主観的一面的にみる見解」として否定した。「決定的要素は人間であって、物ではない」つまり人民の「意志」の〝総和〟といふものが死活的に重要であるといふ持論を展開した。頼山陽の「兵の勝敗は人にありて器（兵器）に非ず」と同じ思想である。

事実この洞察は、その後ヴェトナム戦争で証明されることになる。また、毛の独自性は「三長一短」だけでなく戦争指導においても発揮されてゐた。一旦は半島から駆逐された米軍が仁川上陸以後反攻を強めるのに対して、中朝軍は兵士の疲弊さらには装備・兵站ともに圧倒的に劣悪な状況下にあり、これ以上の戦闘は無理といふ彭徳懐以下の冷静な軍事的判断もあつたが、毛は継戦（第五次戦役）を強行した。

朝鮮戦争は先述した通り、米国を支那大陸へ近づけない為の「予防」が政治目的であつた。だが、開戦劈頭での軍事的優位が、毛に日清戦争以来の朝鮮半島掌握の野望を生ぜしめた。人民総体の「一般意志」と規定したものが、毛一人の「特殊意志」により、その独断を以て継戦を強ひたのである。国家予算に対する軍事費の支出は既に四〇％を超えてゐた。米国の三倍以上の多大な犠牲を払ひながら得たものは、ソ連の援助による懸案の軍近代化（特に航空戦力）といふ成果もあつたが、それは余りに巨大すぎる代償を伴つてゐた。

米国も過誤の連続であつた。中共同様当初より本格的な参戦には慎重で、仮令釁端が開かれても、それは「内戦」であり米国に「道義的義務」はあつても「軍事的義務」はないと公言。当然である。統治してゐたのは日本であり、米国に朝鮮防衛義務はない。何より「南朝鮮は、（中略）全体的な戦略的立場にとってとくに価値があるとは見做されな（い）」（レムニッツァー将軍）かつたのである。マッカーサーは開戦しても、戦闘は「限定的」でありソ連が背後にゐる可能性もあるが、最終的には韓国軍が勝利するとの楽観的なステイトメントを出し、中共の参戦など想定外で言及もされなかつた。同様にアチソン（国務長官）等国務省の朝鮮半島における危機認識も著しく低く、自身で防衛ライン（「アチソン・ライン」）を下げ、対馬海峡以北に後退させてゐた。

だが、その「想定外」が現実となり、猛烈に南下してくる中朝軍に国連軍は瞬く間に半島から蹴落とされた。周知のやうになんとか38度線まで戻したマッカーサーは、さらなる軍事行動をトルーマンに進言、原爆使用を含む満洲侵攻を企図した。だがトルーマンは拒否、マッカーサーは解任された。所謂「文民統制」が発揮されたわけだが、マッカーサーにとつては勝てる勝負の放棄である。軍事的整合性は無視され、政治目的も達成出来なかつた。本来米国の政治目的は半島の赤化防止であつたはずだが、「アチソン・ライン」を下げたことが大きな誘因となり開戦、それを辛うじて38度線に戻しただけで終つてしまつた。ある意味「敗北」である。政治目的と政策の乖離といふ死活的な齟齬を生じさせてゐたのである。マッカーサーの「暴走」を恐れるトルーマンの「意志」の脆弱化が、その圧倒的な「能力」を有効に運用せず進軍を中止したことで、その後の半島分断を固定化させてしまつた。

朝鮮戦争は米中相互の「意志」の誤解（misperception）や誤読（misreading）と、そこにソ連が関与することでさらに複雑に錯綜した結果、既に激化してゐた南北対立の帰結としての「内戦」、もつと正確に云へば「国際的内戦」であつた。既述のやうに開戦前両国とも注意深く慎重に避戦を模索してゐたにも拘はらず、開戦後は「限定的」な処理すら出来ず、膨大な兵力投入と莫大な戦費を強ひられ犠牲者は増えるばかりであつた。戦争といふものは一旦始まれば、誰も想定し得ない展開と容易に止めること能はざるエスカレーションが繰り返される、この定番の歴史的教訓を改めて見せつけられたのである。

この点、米中どちらが傷ついても〝漁夫の利〟を得るのは「死の商人」に徹したソ連であつた。先づＭＩＧ15等の武器供与や借款で莫大な利益が上げられる、中共勝利では勿論恩も売れるし、何より勝敗に関係なく中共が消耗することが自身の満洲再占領への足掛かりとなるからである。どちらに転んでもいい。寧ろソ連にとつては米中両者傷つくことが一番よく、中共だけでなく米国の朝鮮半島からの撤退も視野に入つてゐたのである。

三．米中蜜月の歴史的所以

「米中両国の間には、太平洋を隔て、日本列島を跨いで、永く培われた親和の紐帯があった。とくに、アメリカ側からすると中国とのその文明への歴史的憧憬の根強さは、この新興の国民が近代ヨーロッパ社会の生みだした文明の危機や宮廷政治醜悪さから独立した新しい世界を新大陸に築こうとした理念と折り重なって、彼らの世界認識における調和をもたらしてきた」（中嶋嶺雄）。新興国（米国）と歴史的老大国（支那）といふ対比のなかで、米中の親和性、特に米国の支那への「歴史的憧憬の根強さ」を強調してゐるこの文章は、米国人の支那人に対する基本的なメンタリティを描出してゐる。加へて云へば米国人にとつてのあるべき支那人の典型は宋美齢らしい、英語を流暢に話し米国で高等教育を受けた自分らと同じクリスチャンといふ同質性である。

大東亜戦争中の米議会での彼女の演説は米国人には、米国との歴史的紐帯と自らの正当性を強くアピールする民族自決に燃える闘士として映つた。結果的に親支那（pro-China）的感情を米国内で強く醸成したわけだ。毛沢東でさへ大東亜戦争終結前の一九四五年三月に「アメリカは中国と提携してゆける唯一の国で（中略）中国人民とアメリカとの間に摩擦や離反や誤解など生ずるはずがない」と最大限持ち上げてゐた。共に「ファシズム」と戦ひ「枢軸国」を打倒する「戦友」といふ讃辞である。劉少奇も「中国共産主義の綱領はジェファーソンおよびリンカーン当時のアメリカの政治・経済の概念と比較できる」と米中のイデオロギーを越えた親和性を語つてゐる。

これらのステイトメントは、〝スティルウェル・グループ〟（Joseph W. Stilwell 将軍中心の親中容共派、彼自身も蔣介石の参謀長だつた）の〝中共の基本戦略は民主主義の獲得であり、民族主義に基づくもので、コミンテルンやソ連共産党とは基本的に異なつてゐる〟との見解に呼応する。その一員ジョン・デービス（John Davis）は「中国現代史で積極的かつ広範な民衆の支持を得た初めての政府と軍隊である」と激賞、同じくジョン・サービス（John Service）も「共産党の政治綱領は民主主義である、これは形式、精神ともに、ソ連的であるよりは、むしろアメリカ的である」と米中の一体感を誇張した。

米国は「援蔣反共」政策を基本としつつも、中共への配慮と共感に満ちてゐた。中共自身も「二分論」で、米国政府と米国民は違ふといふことを強調、米中関係はさらに発展させるべきものとしてゐた。米国の本音は、支那においては国民党を中心とする中共も含む連合政権であるべきとの考へであつた。万一、中共単独であつてもそれはソ連とは違ふ形態で、一定距離を置くものと考へてゐた。所謂「中国のチトー化」への期待である。極力中共を刺激しない、それが米国の所与の政策となつていく。

「中国のチトー化」は毛の「向ソ一辺倒」宣言や「中ソ友好同盟相互援助条約」が締結されるなかでも米国の楽観的な願望として存在した。だが、それらが実のところ中ソの根深い対立や確執が存在したままでの妥協の産物としての宣言であり条約であつたことを米国は認識出来てゐなかつた。因みに「中ソ同盟条約」とは日本をターゲットにした軍事同盟である。

その目的は「日本あるいは侵略行為において直接間接に日本と結託するその他の国の新たな侵略及び平和の破壊防止」（傍線：筆者）、「その他の国」とは当然、米国を意図してゐる。

果たしてスターリンは、この条約の為に訪ソした毛に、彼の想像を超える冷たい対応で接した。同じ共産主義国家を自認する毛に、中共は「マーガリン共産主義」（本物／バターではない、偽の共産主義）といふ侮蔑的な言辞さへ使用してゐた。スターリンは毛より蔣介石に好意を寄せ、彼こそ支那の統一者たるべきであり、中共軍は解散して国民党軍と合流すべきと考へ、中共の躍進は寧ろ米国の関与を誘因するネガティヴなファクターとさへ理解してゐた。かかる見せかけだけの〝一枚岩〟は、不可避的に「中ソ対立」を徐々に顕在化させて行き、遂には国境線における熱戦となつた。このやうに米中交渉は、〝敵の敵は味方〟とか〝遠交近攻〟の〝孫子の兵法〟だけでなく、先述した両国の歴史的な「親和性」の強さに加へ、米国の対ソ抑止強化といふプラグマティズム、そして中共の根深い対ソ不信といふメンタリティが底流にあつてこそ成立したのである。

四．米中接近の実相

米ソ冷戦構造が固定化して、「中ソ対立」が続くなか米中が共に接近したのは当然の成り行きであつた。米国は自由主義陣営に中共を「関与」させることで対ソ抑止力強化と巨大な市場へのアクセスも可能となる、また中共にとつてもそれは同様である。周知のやうに米国の中共との国交交渉はニクソン（大統領）とキッシンジャー（国家安全保障担当大統領補佐官、後の国務長官）が主導した。キッシンジャーは神出鬼没の〝忍者外交〟と云はれる活躍で、困難と思はれた交渉を成就させた。米中交渉開始以前の東アジアにおける米国の主要な懸念は、冷戦のライバル・ソ連であり中共ではなかつた。

勿論中共はポテンシャルとしての潜在的な「脅威」ではあつたが、「核」はあるものの陸上兵力を除けばほとんど問題にならない装備と前近代的な慣習と制度が多く残る軍隊を持つ、「革命」進行中の農業国に過ぎなかつた。問題は寧ろ日本の軍事的自立であり、その蓋然性を危惧してゐた。当時は日米安保を〝ビンの蓋〟として理解する米国人も多く、同様に毛や周恩来（首相）もレトリックではなく、本当に日本の〝軍国主義復活〟を恐れてゐたやうだ。

思へば奇妙なことである。自衛隊といふ括弧付きの「軍隊」しかない日本の軍事的自立（自主防衛）が米中共通の「懸念」であり、その阻止が共通の利益となるといふ理解が双方にあつたのである。繰り返すが、米国にとつては〝敵の敵〟たる中共を自陣営へ引き込むことは対ソ抑止力強化であり、中共にとつては対ソ関係での優位と国際社会進出への巨大なスプリング・ボードとなるといふメリットである。

キッシンジャーは会議をリードし、毛との会談では当時最新鋭の米軍偵察衛星によるソ連軍の中ソ国境における配備状況を写真で見せ、〝ダメ押し〟の点を得た。毛は米国の技術力に驚愕し、敵とした場合の「脅威」は測りしれないと考へ、米国と協調する選択をした。これも〝敵の敵は味方〟といふ発想である。ならばソ連だけを米中共通の敵とすればいいのだが、米国の〝ビンの蓋〟論以上に中共にとつては日本が問題である、支那事変の決着もついてゐない（実際には帝国陸軍と八路軍や新四軍は殆ど戦つてゐないが）、台湾の問題もある。そこで米国は日本についてては安保条約の枠組みで、中共も「懸念」する日本の自主防衛を断念させ台湾への再関与も阻止、同時に対ソ抑止も日米中三国協調で出来るといふロジックで説得した。

当然ながら我が国は斯様な米中間のやりとりを全く想像してゐない、唯々米国の頭越しの対中交渉に衝撃を受けて、焦るばかりであつた。田中角栄（首相）は対中国交樹立を自身最大の政治的成果にすべく、なんとしてでも妥結を図らうと決意。戦前に支那在勤の経験もあり贖罪意識に満ちてゐた外相大平正芳共々、それらを見透かしたやうに硬軟を老獪に使ひ分ける周、黄華（外相）の支那式交渉術に翻弄され続けてゐた。只管交渉妥結に前のめりになつてゐる日本の足元をシニカルに見てゐた彼らに比して、我が国は冷静な駆け引きも出来ないまま毛沢東らの掌で踊らされた挙句、一九七二年九月には早々とサインしてしまつた。

他方米国は既述の通り日本を共通の「懸念」、ソ連を共通の「脅威」とすることで話をまとめたが、実際にサインしたのは一九七九年一月であつた。「台湾関係法」を整備の上、国民党にも配慮して中共とのバランス・オブ・パワーを考慮した。中共には日米安保を日本抑止の為の〝ビンの蓋〟として正当化することで納得させ、米国内特に議会の台湾擁護に拘はる反共の保守派には経済的なメリット、巨大市場へのアクセスによる米企業飛躍のポテンシャルをアピールした。これが戦略家と云はれたニクソンと「古典外交」を熟知したキッシンジャーの外交である。彼らは既に沖縄返還交渉を同様のニュアンスで、我が国からの譲歩を勝ち取り米企業（繊維産業）の利益擁護を図つてゐた、所謂「糸と縄」の取引である。何れも圧倒的な外交力の差であつた。

以後米国は中共を「戦略的パートナー」として遇し続けたが、米国は中共に対して一ドルの援助も与へず、代りに我が国が巨額の実質的な〝賠償〟となるＯＤＡを供与することとなつた。これが今日の中共の軍事大国への躍進を財政的に支援したことは自明である。敵に塩を送るどころではない、敵を養ひ続けた挙句が、現在の「脅威」を自ら創出したといふお粗末である。三兆六千億円以上に及ぶ我がＯＤＡはインフラ整備が中心だが、それは結果的に中共の軍事予算拡大を大いに幇助したこととなつた。

五．中共の本質

それから約半世紀後、ポンペイオの演説は米国の対中政策の根本的変革であり、ニクソン以来の対中外交の見直しである。バイデンも、この認識は引き継がざるを得ないであらう。既述のやうにこれは見直しといふより、完全な「間違ひ」であつたといふ告白である。一番の「誤算」は支那における共産主義とは、ある意味「名目的（name only）」なものであり、経済的な発展をすれば必ず政治も「民主的（liberal）」になるといふ予測であつた。だが、それが単なる楽観的な「願望（we believed what we wanted to believe）」（オブライエン国家安全保障担当補佐官／当時）に過ぎなかつたといふ、なんとも間抜けな遅すぎる総括でもある。今頃になつて初めて我が国の支那大陸での防共努力、及び何故に支那事変を戦つたのかを理解したのであらう。

中共は米国がかつて期待した「中国のチトー化」どころではなく、米中国交回復後の国際社会への参画による目覚ましい発展とともに、ソ連以上に独善的な覇権主義と事大主義へと変貌してしまつた。中共の特殊性は、そのイデオロギーを国内だけでなく全世界に敷衍しようとしてゐることである。もともと中共はソ連型〝正統〟のプロレタリアート独裁ではなく、地主や資本家も含む「革命的諸階級による連合独裁」、つまり民族資本も許容する独自の「民族共産主義」であつた。この「民族」の部分を拡大敷衍して、伝統的な「中華思想」と一体化させたのが「毛沢東思想」であらう。これ以外の「思想」や「思考」は絶対に認めてゐないので、常にその正統性と正当性を内外に闡明する必要があるわけだ。

今の中共はある意味、レーニンが規定した資本主義を超える「国家独占資本主義」にあると云へる。勿論それは全てマルクス主義の用語（term）で否定してゐるが、〝既に消滅した〟とされる資本家階級が現実には跳梁跋扈し、華為（ファーウェイ）やアリババ集団等が中共を支へてゐるのである。また、それに止まらず現存の有力な企業経営者は皆入党を目指すといふ「矛盾」も平然と行はれ、馬雲氏（アリババ集団）、馬化騰氏（騰訊控股：テンセント）、任正非氏（華為）、雷軍氏（小米：シャオミー）らも共産党員と云はれてゐる。企業にも共産党委員会や支部があり、上記の彼らが率先して人的、経済的にも支へ、大学や研究機関のトップも党員でないとなれないといふ。

これだけでも党と企業の一体性が分かる。巨額の補助金で技術開発（特に軍事）を加速させ、そこに法的制約、障壁があれば即座に撤廃し、世界に先駆けて製品化、商品化を後押しし、企業利益の極大化を支援する。勿論、それは最終的に党へ還元させる為であるが、彼らが党に忠実な限り企業の存続も保障されるわけだ。官民は一体であり「軍民一体」は、その基本中の基本の国家戦略である。

皮肉なことだが、これらはある意味で毛が否定した既述の「唯武器論」肯定であり礼讃である。そして言及せねばならないのは党や軍幹部の汚職の横行である。二〇二〇年四月の一ヶ月だけで九千三十二件の摘発があり、七千百八十六人が政務処分されたといふ。尤もそれらは権力闘争の中で生起してゐるもので、民主主義国家の一般的な検察の摘発とは次元が違ふことを留意せねばならない。かうなると今や南米やアフリカまで政治的経済的権益を伸ばしてゐる中共は、かつて米国を「三短一長」と評したものに自身がなつてゐるやうだ。

現在中共が最も重視してゐるのは「情報戦」、「思想戦」である。それはかつて全世界的に設置されてゐた「孔子学院」をみても分かる。これは当然ながら純粋な学問の伝達などではない。情報機関の一つであり、かつ海外の若年層対象の洗脳教育機関である。米国はじめ欧洲では「孔子学院」を「プロパガンダ機関」と認めそのほとんどが閉鎖されたが、我が国では早稲田、立命館等いまだに開設してゐる大学も多い。君子たることを説く孔子の教へを共産主義者が代弁する荒唐無稽はジョークにもならないが、この無防備さは我が国の高等教育機関や学界がいまだに如何に容共であるかの一つの証左でもある。エドワード・ルトワック(Edward Rutwack)が指摘するやうに独裁国家とグローバリズムは親和性が高いので、「情報戦」「思想戦」においても有効な外交政策となるのは事実であらう。

六. 米中間のバランサーへ

大東亜戦争まで我が国は紛れもなくアジア唯一の独立独歩の国家であつた。今も続く支那との確執は朝鮮半島を巡る日清戦争前からであり、米国とのそれは日露戦争後からである。そこに英独仏等欧洲勢が加はり、その舞台は満洲を含む支那大陸全体となつた。支那は革命後「中華民国」となりロシアは「ソ連」となるが、支那大陸は混沌かつ混乱したままで安定しない。中露だけでなく英独仏も日本と敵対するやうになり、そこに世界最強となつた米国が加はる。そして我が国の外交問題とは、ほとんどが支那大陸を巡る米国との問題に集約されていく。その決着が大東亜戦争で一旦ついてから、日本の主体性といふものは消失してしまつた。

戦後の我が国の安全保障におけるフレームワークは日米安保に尽きるが、実質的に米国による婉曲な保障占領の継続といふことだ。勿論、日米安保は相互の二国間条約であり、政府は「戦力」と「土地（基地提供）」を等置して「双務性」ばかり強調するが、実態は片務条約である。それは「戦力」だけでなく、例へば航空管制や地位協定などにおいても証明されうる。それ故「土地」だけの我が方は有事に際して本当に「戦力」提供があるのか否かが常に気にかかかるわけだ。

昨年（二〇二〇年）菅義偉首相が就任早々バイデン大統領と電話会談を行ひ、オバマ政権の時とは違つて米国が「尖閣」への安保条約五条適用に言及したことに安堵したといふ。斯様に我が政府は米政権が代る度に、これを〝通過儀礼〟のやうに行つてゐる。だが主権国家としてこれほどの屈辱はない、この行為は我が領土でありながら最初から独力防衛が出来ないことを内外に闡明してゐることと同義なのである。日米共同対処は条文にもあることだが、五条が適用されようがされまいが我が国としては断固排除するだけである。それを明言すればいいのだ。最初から出来ないことを前提で云ふやうな国はない。仮に「尖閣」でなくても敵国が米軍基地を除外して自衛隊基地のみに攻撃を仕掛けたらどうする。米軍は動かないかもしれない。これは有り得るシナリオである。だが、さういふことを慮外にして「共同対処」

を所与にしてゐるところに、我が国防の「意志」の脆弱性がある。

「尖閣」もさうだが昨年は我がEEZ内（大和堆）での「外国」不法漁船が急増して、漁場を荒らしてゐる。「外国」とは中共であることは自明なのだが、何故か政府はそれを明言しない。「問題」としてゐるだけで、拿捕どころか抗議すらしてゐないといふ。自分の庭に不審者が侵入して排除しない人はゐないだらう。またそこに植ゑてあつた作物を無断で持ち帰れば、それは窃盗に他ならない。政府の対応は、被害にあつても警察も呼ばず、困つた困つたと独り文句を云つてゐる無力な老人のやうなものである。要は我が政府と国民に、その「意志」と「能力」があるかどうかである。利にばかり敏い国民と「町人国家」を支へる政府には、武力行使など夢のまた夢であらう。自衛隊といふ「戦力」すら否定する人間がゐる日本は、自国への「脅威」を明言出来ないどころか、「懸念」とすら云へない国である。

それは嘗て英国がアルゼンチンとのフォークランド戦争でみせた「鉄女」サッチャーの如くリーダーとしての断固たる「意志」と英軍の「能力」との違ひでもある。通常他国の「不法占拠」により「実行支配」出来てゐない処への対処は二つしかない。国交断絶か軍事力行使による失地恢復である。一度も干戈を交へず二国間交渉で片が付いた例など歴史上ない。勿論、国際司法裁判所といふところはあるが、その無力はフィリピンの例でも分かる。何故韓国、ロシアと断交しないのか。勿論、既存の経済的互恵関係もあるが、その全てを失ふ覚悟でやらねば相手が応ずることなど決してない、失地恢復など遥かに覚束ない。

これほど長年の葛藤がありながら、中共や韓国とは昨年ＲＣＥＰ（東アジア地域包括的経済連携）に合意し署名が交はされた。懸案のインドは参加してゐない。この協定は〝米国抜き〟といふことがポイントである。中共は如何にして〝米国抜き〟のフレームワークを構築するかを腐心、自身の「一帯一路」をさらに推進したいわけだ。ＲＣＥＰも韓国、ラオス、ミャンマー、カンボジア等がゐるなか、インドの参加は我が国にとつても抑止力となつてゐたはずだ。ある意味、これは対中政策における「戦略的曖昧（strategic ambiguity）」の維持と云へないこともないが、今後は米国のＴＰＰ（環太平洋戦略的経済連携協定）への復帰が、安全保障の観点からもキーとならう。

ＱＵＡＤで云ふと豪州は今や我が「準同盟国」であるが、政府は何故かそれを闡明しない。インドとも歴史的に親密だが、元来が「非同盟」の国であり、軍事（特に装備品）ではロシアと近い。またＡＳＥＡＮも複雑だ、米中の狭間で何方付かずで等距離で対応せねばならない苦衷がある。有体に云へば安全保障は米国だが、経済は中共といふのが彼らの本音であらう。なかでも中共と距離を置くヴェトナム、インドネシア、マレーシア等は「戦略的パートナー」として日本を必要としてゐる。日本に米中間のバランサーの役割を期待するわけだ。だが真のバランサーたるもの「意志」と「能力」が必要である。それは米中とは違ふ「一極」のリーダーとしての経綸である。経済だけでなく文化、芸術等のソフト・パワーも重要だが、必須なのは軍事力、特に英仏同様最低限の戦術核保有と自主独立の気概を有することが「バランサー」たる資格条件であらう。

をはりに

かかる状況で日米同盟を質、量ともに高めていく必要があることに異論はないと思ふ。「質」といふのは同盟の双務性を同質に上げるといふことである。既述したやうな「土地」と「戦力」の等置はあり得ない、同盟維持なら日本も米国防衛の覚悟を示すべきである。「量」といふのは適用範囲で、現在西はアラビア海からインド洋を経て第二列島線あたりまでである。これを少なくともハワイ以西まで伸ばすべきであらう。それと同時に日本単独での軍事的自己完結性を高めること、これに尽きる。日米の「盾」「矛」といふ役割分担はもういい、常に米軍ありきの体制は脱却せねばならない。我が国の軍事的自立は、そのまま精神的な自立にも繋がる。永劫の敵もゐないが、永遠の同盟もない、必要なのは自存自衛への「意志」と「能力」の整備に尽きる。

本来的に日米同盟はアングロ・アメリカン（米英）同盟のやうに歴史的所与ではない、戦争（我が国にとっては敗戦）の産物である。勿論、その世界的価値と現状の我が国の国防体制上必須であることは否定しないが、私が云ふのは欧米とは全く異なる精神、「日本精神」といふ問題に留意したいからである。近現代の歴史的事実からすれば確かにアングロ・アメリカンとの同盟や協調があつた時、我が国が孤立することはなかつた。だから今後もそれを基本に協調体制を構築すべきとの意見は多い。だが、それは世界最強国との「バンドワゴン(band wagon)」である以上、国際秩序とは言ひ条、すべて欧米の支配や慣習への隷従を意味する。

端的に云へば西欧的合理主義と米国流プラグマティズムの信奉であり、依然グローバリズムと云ふ弱肉強食の世界が続くといふことだ。ブルクハルト(Jakob Burckhardt)が指摘するやうにクリスト教者は異端に対して、自明の如くその論理の受容か「火刑台」かの二者択一を迫る「自己肯定の強さ」がある。だが、その「自己肯定」は「神から離れた人間の自己主張」となり、「かえって人間の破壊をまねきよせる」(ベルジャーエフ/Nikolai Berdyaev)ものでもある。殉教者ほど、その苦悩から生き残ると迫害者になる。彼らは権力の為には手段を択ばない、〝二枚舌〟も厭はない、泥棒であつても紳士であればいいのだ。自説と自利を押し通すことこそ神意であり正義といふ厚顔な独善である。勿論、中共もそれ以上に不作法の極みにゐて、米国に代り別の独善を押し付けようとしてゐる。

だが、我々日本人にかかる「自己肯定」はない、自省と他者への惻隠の情である。古来我々が為すべき規範はただ一つ「惟神(かむながら)の道」、つまりは天皇陛下の御稜威を普天の下、率土の浜に敷衍すること。この「日本精神」が外交また軍事においても基本とならなくてはならない。もとより八紘為宇の理想を掲げ、「道義国家」を確立するといふことが肇国の使命であつた。それは今なほ同様である。

我が国ではビジネスですら、〝商道徳〟といふ言葉があるやうに、内省的な規律のなかで営まれてきた。西欧の如くプロテスタンティズムの倫理と資本主義の精神が、都合よく結合する機会主義（opportunism）はない。あるとすれば、それは弱きを助け強きを挫く武士道精神である。「脅威」に対しては、天皇陛下が中心におはす「道義国家」として、我が規範と道徳に基づいた「意志」により、その「能力」を確固たるものに高めねばならない。「日本精神」を発揮するといふことは、日本はアジアでありアジアの日本といふ精神の敷衍でもある。これが取りも直さず対米自立となる。

第九章　「親米ポチ」が「反米」西部邁氏を悼む

――西部邁氏との思ひ出

はじめに

はじめに断つて置かねばならないのは、このタイトルは決してふざけて付けたわけではないといふことである。今から十八年以上も前のことであるが、月刊『正論』（産経新聞社）平成十五年六月号に寄稿した私の論文は当初「西部邁氏に反論する」といふタイトルであつた。だが、ゲラが出てみると当時の編集長大島信三氏が「『親米ポチ』が『反米』西部邁氏にカミつく」と変更してゐたことが分かつた。正直、あまりいいセンスではないと感じたのだが、編集の意向を尊重して、そのまま了とした記憶がある。勿論、今ではそんなこともあつたのかくらゐの感慨だが、この稿を起こすに当つて、既に帰幽された西部氏に対し斯様なタイトルを付けるのも、却つて一つの供養になるのではと考へたからである。

西部氏は平成三十年（二〇一八）一月二十一日に自裁された。既に三年以上の月日が過ぎたわけだが、私のなかでは今もあの日の衝撃が生々しく蘇つて来る。周知のやうに氏の訃報は、事件として扱はれただけでなく、それが某ＴＶ局の社員が関与してゐたといふことでスキャンダルとなり、結果的にマスコミの好餌となつてしまつた。一時は学者としてだけでなくメディアの寵児として、また言論誌の発行者としても活躍されてゐた一思想家の逝去が、マスコミの喧噪のなかで報じられたのは極めて遺憾であつた。

所謂民族派諸氏の自裁はそれほど稀有なことではないが、氏はさういふ人士ではない。かつては東大全学連の委員長として名を馳せ「反安保」の闘士でもあつた氏は、その後は学究の道を歩み東大教授も務められた。一貫して米国べつたりの「親米保守」といふ論客を厳しく糾弾され、「反米」のレッテルを張られることも多かつた。所謂「保守」の中でも他の論客とは一線を劃す独自のスタンスを維持しながら、該博な知識と行動力で論壇を牽引した人であつたと思ふ。さういふ氏の自裁がどういふ意図や意味を有するのか不明だが、話を米国はじめ「有志連合」がイラクで釁端を開いた時に戻さう。

一・「親米ポチ」論争

平成十五年（二〇〇三）三月イラク戦争が勃発するなか、同盟国として我が国のあるべき軍事外交に関して、朝野はかつてない混乱の様相を呈してゐた。その時私は米国支持を訴へ、その論陣を張るべく幾つかのメディアに論考を発表してゐた。そのなかで、西部氏は月刊『正論』（平成十五年四月号）で「アメリカ戦略にはらまれる狂気」といふ論文を発表され、その中で西尾幹二氏と私を名指しで批判、我々は米国に盲目的に追随するだけの「ポチ」であると揶揄された。

実はその時私は西部氏の論考を未読であつたのだが、それを知らせてくれたのが私の師匠筋にあたる田久保忠衛先生であつた。ご丁寧にも先生からはその経緯を手書きのファックスで戴いたことを今も記憶してゐる。その時、正直に云へば不快感だけがあり、西部氏＝旧左翼の反米主義者としか思はなかつた。

私自身は反米ではないものの氏の指摘の如く決して「親米」などではないことを長く自負して来たので、氏の指摘には可成り違和感があつた。私は一貫して対米自立かつ反共反支那である。氏が指摘されるやうな対イラク戦争反対論は、当時の我が国の国益や安全保障環境を考慮すれば、米国支持以外のオプションはないことは誰の目にも明らかであり、ここで我が国が同盟国として曖昧な態度をとることは有り得なかつた。事実、米国は同盟国に対しては、強く旗幟の鮮明を求めてゐたのである。結果論だが、それはある意味氏の指摘の通り、米国の自信のなさの表出だつたのかもしれない。

西部氏に云ひたかつたことはかうである。我が国が米国に対して違ふオプションを取りたいのなら、少なくとも安保条約を双務的（reciprocal）なものにしてから云へといふことであつた。それなくして、米国と違ふオプションなど云へるわけがない。我が外務省の解釈のやうに基地提供と戦力を等置するやうな理屈で現行の安保条約を「対等」と考へてゐる米国人は皆無である。勿論日本には日本の国益があるし、出来ることと出来ないことがある。

それはいい。問題は事ある毎に憲法の規定や「平和国家」「専守防衛」といふ「国是」を持ち出すリベラルだけでなく、保守の論客も自衛隊の「能力」論でそれを語ることである。つまり自衛隊は国内防戦専用であり外戦に耐へるやうな作りではないと云ふ。これは米国からすれば卑怯の極みであり、我が国の逃げる口実としか見えない。米国は何も自国と同様のことをしろと云つてゐるわけではないし、また出来ないことをしろと云つてゐるわけでもなかつた。能力相応のことをしてほしいと云つてゐるだけである。なのに、世界屈指の装備と練度を誇る我が自衛隊が「能力」論で何もしないと云ふから米国は呆れる、彼らにしてみれば同盟国なら目に見える協力、せめて後方支援くらゐはしてくれといふことであつた。

確かに日本には日本の事情があるので、米国の要請をいちいち真に受ける必要もないといふ意見もある。それはそれで納得しないでもないのだが、その含意が所謂「専守防衛」は米軍の永久駐留容認の為の口実であり、米政権もそれを理解してゐるからこそ、建前では強く協力を云ふが、それを「額面」通り実行しなくても問題ないといふ考へである。つまり「専守防衛」は我が国の防衛指針ではなく、米軍の世界戦略の一環として位置づけられてゐるので、それがある限り日本を見捨てることはないといふ逆説である。だが、これも敗戦国ならではの屈辱的で屈折した思考に他ならない。

現実的には米国が日本を見捨てるオプションは考へにくいが、当時米国が想定してゐた地球規模の〝二正面作戰〟同時遂行は既に困難で、同盟国、特に我が国に対し東アジア全体の平和と安定を見据ゑた米国に代る役割の拡大とその責任を求めてゐた。かかる状況で西部氏の如く我が国がイラク戦争反対論を唱へ不関与を打ち出したら、日米同盟は一気に失速してゐたことは間違ひない。

可能な応分の負担もしないし、かつ米国が死活的と考へてゐる問題についても何もしないとしたらどうなるのか。イラク戦争は米国の死活的問題であつたからこそ、対応次第で今後の我が国防の死活的問題となる蓋然性は十分にあつた。勿論それは朝鮮半島有事であり、「尖閣」もその一つである。私は米国に盲従する「ポチ」ではないが、我が国に「対米協力」以外にオプションが存在しない以上、米国を追認するしかないことが氏と同様悔しいのである。

氏はNATO加盟国、なかでも独仏は米国と一線を引いてゐると云はれたが、EUといふ歴史的一体性を有する国々の集団防衛と我が国のやうな単体との同盟とでは、あらゆる意味で異なる。またフランスは勿論、ドイツもEU域外の派兵を実行してゐて、いつまでも「敗戦国」とか「被爆国」といふ〝被害者意識〟の殻に閉ぢ籠つてはゐなかつた。特にフランスは、少数ながら戦術核を保有してゐることが決定的である。これこそが今以て自主独立の軍事外交を遂行しうる必要最低条件である。我が国において、核の問題は依然としてタブーとなつてゐる。皆が「被爆国」としての歴史を語りその廃絶を誓ふが、誰もその保有による真の抑止力獲得と自主的な軍事外交構築といふプラグマティックでポジティブな側面を決して語らうとしない。

国防にタブーがあつてはならない。だが、我が国のそれはタブーだらけであつた。いまだに「平和憲法」、「被爆国」、「専守防衛」といふ三つの呪縛が重なり合ひ、これがワン・セットで固着してゐる。なかでも一番ナンセンスなのが、「専守防衛」であらう。一体誰の誰に対する「専守」なのか、まさか我が国に国連の「敵国条項」がいまだに適用されてゐるので、「平和を愛好する諸国民の公正と信義」への誓ひのつもりなのか。今も我が国の四囲において、支那、北朝鮮、ロシア、そして韓国と、我に仇なす国の跳梁を見ない日はないのが現実である。

二．国防の本質

米国のイラク戦争に対する我が国の対応についての問題は、米国の軍事外交政策の当否ではなく、我が国防の在り方に本質があつた。勿論、憲法の問題もある。一貫して政府は「必要最低限」の自衛力（戦力ではない）整備と云つて来たが、実はそれが「最低限」にもなつてゐなかつたのである。「必要最低限」といふものは絶対的なものではない、あくまで相対的なもので、彼我のバランスを考慮しなければならない。なのに、そんなことはお構ひなしに我が方のやり方は、自身の「理念」や財政上の都合だけでそれを考へて来たので、イラクのやうな事案が発生するとかかる「一国平和主義」は突然無力を露呈する。全て「想定外」となり、只管狼狽するばかりである。

「専守防衛」を何が何でも所与としてゐるので、国防に資する「攻撃的兵器」もしくは装備を保有することは憲法違反、もしくは「侵略」的意志の表出といふ自己規制となり、一切慮外となる。そして、あくまで仮定の話でしかない同盟国の「打撃力」を常に所与として来た結果は、それに依存せねば一国の国防が全う出来ないといふ、あるまじき変態的体制を招来させてきた。まして、その「打撃力」自体が不確実なものだとすればなほ更である。西部氏もさう考へたはずだ。

事実として米国が「専守防衛」といふ我が国の「無為」を所与として、その代りに米国の世界戦略に自動的に組み入れられることに我が国が反論しないといふ暗黙の了解があつたと云へるだらう。勿論、それが日本防衛と同義になるといふ理屈が成り立ち、結果的には冷戦にも勝利出来たわけだ。だが氏は、かかる「所与」をいつまでも続けることは、我が国の自主独立を阻害するだけでなく、今後もさらに「同盟国」の恣意に飜弄されるだらうと警告されてゐたのである。

加へて云へば、国民精神すなはち国防への断固たる意志や決意の欠如である。私はいつも「国防の国民化」といふことを云ふのだが、これがあつて一国の国防は成り立つ。かつて某経済学者が真面目に云つたやうにソ連が攻めてきたら「白旗」と「赤旗」を用意すればいいといふやうな敗北主義は流石になくなつたが、今でも「絶対平和論」を唱へる人は多い。

彼らは現実の国防環境には目を瞑り、自衛隊の存在も否定しつつ、国際世論といふ「話し合ひ」で何とかなると思つてゐる人々である。また、日米安保が機能して本当に外国軍隊が来てくれると思つてゐる人もゐる。勿論、有事には米軍は来るだらう、だがそれは在日駐留軍がゐるからであつて、それを守る為にやつて来るのである。それと同盟国及びその国民の防衛に来援するといふ考へは同日の論ではない、日本人のナイーヴさは呆れるばかりである。

国際平和や核廃絶を云ふのもいい、それはいつの世も理念としては正しい。だが、どの時代においても国際政治の現実の前には「力」(軍事力)あつて、はじめて「正論」は活きる。紀元前五世紀のギリシアにおけるペロポネソス戦争の時代から力の対等な者同士だけしか、それを云ふ資格はないことは自明であつた。ギリシアの大国であつたアテナイやスパルタもさうだし、共産支那もロシアも、そして米国も同様である。

ここで云ふ「正論」とは法の支配とか道義といふものではない、むしろ国益と同義のものである。あるフランス人外交官は「道義的なこととは何か。フランスにとってよいことすべてだ」と云ひ放つたといふ。民主主義の総本山のやうに云はれる英国だが、大英帝国の象徴・大英博物館のほとんど全ては、海外から略奪したものである。だが、彼らは「泥棒をしても、紳士であればよい」と考へる。この独善とご都合主義が欧米流であり、外交の「常道」である。

現代も変りはない。ドイツ統一に際して、サッチャーがゴルバチョフより強力に反対したのは、欧州内でドイツの力が圧倒するのを恐れたからである。要は東西分断のままの方が英国にとつては都合がよく、ドイツ統一が自由主義陣営の強化となるといふ「大乗的」な甘い考へなど微塵もない。彼女は古典外交以来の英国の伝統的政策、欧洲の「バランサー」としての維持強化が最大の政治目的のリアリストである。決してアイデアリスト(理想主義者)や、ましてロマンティストではない。サッチャーはドイツ統一を「自身の政治人生の最大の敗北」

と回顧してゐる。これが国際政治であらう。

当時失礼ながら西部氏は、この国際政治の歴史を理解されてゐなかつたやうに見受けられ、どうしても書かずにゐられなかつた。五経の一つ『書経』にも「大国は力を畏れ、小国は徳に懐く」とある。日本は「正論」を云へる「力」がなかつた、そして「力を畏れ」ない国でもあつた。勿論、今もさうだ。彼我を問はず軍事力といふものへの病的な忌避と全面的な否認が所与となつてゐる国の「正論」や「徳」など聞く国はない。

氏によれば、米国は「敵か味方か」を短絡的に問ふ国なので間違ひを犯しやすい、故になんでもかんでも協力するわけにはいかない、むしろ同盟国として諫めるべきだと云はれた。だが、上記のやうに「力」が対等でないものの「正論」など〝戯言〟同然である。我が国には米国以外に選択肢がないのだ、またさういふやうに自身で仕向けて来たのである。敗戦国根性と云つていい。世界有数の経済大国が最強国に兄事し、執事のやうに振る舞ふのは見苦しい限りだが、それでいいのだと云ふ「親米保守」は確かに存在する。

「親米保守」の意見は西部氏の云ふやうに「アメリカという名の父親の言うことに従え」といふことだらう。だが、繰り返すが私の意図は日本に「力」の不在が明確であるからこそ、独自のオプションなど存在しない、といふことに尽きる。唯一「力」を担保してくれる同盟国に対し「正論」を云ふ資格などない、逆ふことなど出来るわけがないだらうといふことである。私はそれを強調したかつたのである。

三．自主独立国家の為に

その後氏がこの論文を含む著書を『アメリカの大罪』として上梓され、その文庫本版の序文のなかに「自主防衛への道」といふ論考がある。そこに「自主防衛とは『最悪の場合』には、単独で死力を尽くして自国を守ってみせると構えることで」、「要するに自主防衛とは、自分の気力と能力を最大限に活かして、防衛に必要なすべてのことを自前で算段することにほかならない」と記されてゐる。その通りである。

また氏の指摘通り、単独防衛はNATOの如き集団自衛より遥かに困難なのに、単独防衛を想定外にしつつ、それより容易な集団自衛を認めない我が国はをかしい。そもそも米国の「集団的自衛権」を認めなければ我が国の防衛は成り立たないことを忘れてゐる。他国の「集団的自衛権」は認めて自国を守つて貰ふが、自身の「集団的自衛権」は認めないので他国は守らないといふのは、単なる我儘としか世界はみないだらう。

その上で氏は米国への過度な依存と米国の「武断主義」を諫めてゐたのである。私は自主防衛を全く慮外にして「集団的自衛権」さへ認めない政府と世論に対し、この矛盾を容認しながら、対米支持もしないオプションはないのではないかと云ひたいだけであつた。だが氏には私のイラク戦争における対米支持が盲目的な「対米従属」にほかならないと見えたのである。独立国なら、その矜持を示せといふことである、常に日米同盟ありきで端から主体性を放棄してゐるからだ。私も同様に思ふ。

先に述べたやうに、せめて少数の戦術核を保有するだけでも我が国の国防上の抑止力とプレスティージは格段に上がるのに、核は議論すらタブーであつた。「集団的自衛権」の行使は今も問題となつてゐるが、仮令同盟国と相互防衛条約を結んでも、こちらに能力がなければ先方の期待は限定的でしかない。出来ることをやるだけなのである、それでいいのだ。

でなければ最初から「相互防衛」などあるわけがない。フィリピンには失礼だが米比相互防衛条約があるから、米国がフィリピンの支援を期待してゐるのか。私は「集団的自衛権」のどこが問題なのか分からなかつた。「自動参戦装置」といふ詭弁があつたが、さうならNATO諸国、なかでも小国は常に米国の戦争に巻き込まれるリスクがありNATOを脱退するはずだ。だが、かかることはありえない。小国は一国での単独防衛が出来ないから、集団防衛条約による自国攻撃へのリスクを勘案しても、圧倒的な力を有する国との同盟を選択する。米国との同盟のメリットが、集団防衛のリスクを圧倒してゐるからだ。

イラク戦争終結後、イラクから米国が懸念してゐた大量破壊兵器は発見されず、戦争そのものの「正当性」が怪しくなつていつた。確かに内外で暴虐を極めたサダム・フセインを駆逐してもイラクといふ国がいきなり民主国家になるわけでもない。一人の独裁者を倒し、国家機構やその制度を建て替へても、人々の考へや生活、慣習がドラスティックに変るものではないからだ。歴史的に云へば米国はいつも、ならず者に反撃する保安官の如く振舞ふのを常として来た。それが単なる米国のお節介な善意なのか、例の〝マニフェスト・デスティニー〟の敷衍として、米国流「民主主義」を「布教」することが天意でありミッションであると今も考へてゐるのであらうか。

氏とは現状（イラク戦争時）での日本の立ち位置やその処方は違つてゐたのかもしれないが、日本が目指すべきことは同じであつたやうに思ふ。氏も私も「自主と独立」による対米自立なのである。

をはりに

この度本書を上梓するに当りタイトルを『「無脊椎」の日本』にしたのは、オルテガの『無脊椎のスペイン』からの借用である。それは期せずして西部氏の著書『大衆への反逆』が、同じくオルテガの『大衆の反逆』へのオマージュでもあつたことと同様である。このあたりも氏とは奇しき縁を感じずにゐられない。今は鬼籍に入られた氏に何も云ふことはない、いづれ私も彼岸に行くので、その時はまた氏と話したいと思ふだけである。

次に引く論文は平成十五年六月に発表したもので、既に十八年以上の歳月が経過してゐる。久しぶりに読み返すと推敲が甘い部分も多く汗顔の至りである。しかし、当時の考へや気持ちもあるので最低限の加筆訂正だけを行つた。記憶では時間がなくて二日くらゐで書き上げたと思ふが、読者諸氏にはこの辺りを斟酌の上、ご寛恕願ひたい。斯様な訳で、この拙文を改めて西部氏の霊に捧げたいと思ふ。なほ月刊『正論』（平成十五年六月号）の論考は、編集部の意向で現代仮名遣ひで執筆した。

月刊『正論』平成十五年六月号掲載

「親米ポチ」が「反米」西部邁氏にカミつく

「親米保守」の〝ポチ〟とよばれて

西部邁氏が本誌（月刊『正論』）四月号の「アメリカ戦略にはらまれる狂気」と題する論文のなかで、西尾幹二氏とならんで私の「認識を疑う『イラク攻撃反対』論」（『産経新聞』二月六日付）を、「親米保守に典型的な錯誤に陥っている」と批判されているので、聊か私なりに反論したいと思う。

まず、碩学の西部氏に「親米保守」などというレッテルを頂戴したのは有難いことかもしれないが、私としては、なんとも痛痒いような気持ちである。スペースに制約のある新聞での所論でその立場や思想信条まで理解してもらうなどということは十分にできようがないことは承知しているが、西部氏によれば「親米保守」たる私は「ロウグ家（〝ならず者一家〟のメンバー・ブッシュ、ラムズフェルド、そしてライスの三人）のポチ」つまりは〝飼い犬〟ということらしい。

〝ポチ〟と呼ばれても「親米」という言葉が極めて恣意的で曖昧な表現であるので、どこからどこまでが「親米」派なのか私には正直わからないのだが、私の米国に対する思いはつぎのようなものである。米国の我が国の主権回復後に示してくれた理解と信頼を、戦前に少しでもいいから見せていてくれたら、という無念ともいえる思いにつきる。つまり仮に少しでもかかる理解と信頼があったなら、日米は相打たずに済んだであろうと考えているからである。

日米の相克の始まりは日露戦争から考えねばならないだろう。日露戦争後、米国鉄道王といわれたハリマンによる「満鉄共同経営」提案の我が国拒否から始まり、所謂「排日移民法」の制定、日英同盟を破棄させられた「四か国条約」の締結、我が海軍力を縮小させられたワシントン条約、ロンドン条約の締結、我が国の南進政策による対日戦略物資禁輸による経済封鎖、日米衝突を避けるべく近衛文麿首相の提案したルーズベルト大統領とのサミット会議米国拒否、そして日米開戦につながる「ハルノート」の提示までを概観しつつ、敗戦後の国際法違反の新憲法制定、学制改革等の我が民族の歴史と伝統を徹底的に破壊した凄まじいばかりの〝民族精神解体作業〟を見るにつけ、五十年でついに米国の思い通りにさせられたというのが実感である。日露戦争より半世紀にわたる米国の一貫した対日弱体化政策の徹底ぶりに暗澹たる思いと同時に、それに全く抗えなかった我が国の無力感が残るだけである。

米国百年の対日戦略

簡単に言えば、日露戦争終結を斡旋した一九〇五年のポーツマス条約以後、米国の対日戦略とは、〝友好国〟から〝仮想敵国〟へと転化させ、次に現実的に〝敵国〟となり開戦、戦勝後は〝占領〟、〝占領〟解除後も実質的な〝属国〟化という一世紀の歴史であった。だが、我が国を〝属国〟化したあとの米国の対応は、総じて寛大なものであったと言っていい。

それは勿論、優越するものが自分の優位な立場を理解した上で、なお相手に対して寛大になろうという気持ちでの譲歩や厚意であることには違いないのだが、こと防衛に関しては能力があるのに一向にやる気を起こさない我が国に対して、癇癪を起すことは偶にあっても基本的には我慢強く辛抱していた。例えば集団的自衛権の問題についても、憲法との関係を盾にイエスと言えない我が国を慮り、〝日本の国内問題〟として米国からそれを議論することをタブーとしてきたし、米国内でかかる議論が起こらないように配慮し続けた経緯があったのも事実である。

米国は、良くも悪くも「敵か味方か」を峻別する国である。そういう意味では単純である。故に、西部氏が言う「狂気」とまでは言えないが、危いというのも事実かもしれない。だが、そのような「単純化」も、多民族国家に住む国民と世論の理解を得るためには必要なことなのであろう。

歴史を振り返ると、米国は国内的には実に単純で無邪気ともいえる対応が多い。大東亜戦争劈頭の我が海軍の真珠湾攻撃後には、報復テーマソング〝Let's remember, Pearl Harbor〟を作りメディアを通して、「騙し討ち」した枢軸国日本をドイツとともに叩きのめそうと国内を扇動した。明るい曲調で、日本に仕返しをしようというわかり易さは、インディアンに襲われた白人保安官の感覚であろう。この感覚はほとんど変わっていない、米ソ冷戦末期にレーガン元大統領の旧ソ連に対する「邪悪の帝国」発言も同様である。いわば映画「スターウォーズ」の共和国軍と帝国軍の対決であり、実にシンプルでわかり易い。

九・一一テロ以後は、またぞろ我が国の「真珠湾攻撃」や「神風特別攻撃」に擬する論調が米国マスコミを賑わし、またブッシュ大統領（当時）もかつて日独伊三国同盟の語呂合わせだけの「悪の枢軸（イラン、イラク、北朝鮮）」というスローガンを頻繁に使用している。ブレジンスキー元国家安全保障担当補佐官には、「事実上の保護国」と言われ、ライス国家安全保障担当補佐官（当時）には「日本は米国の政策に対してはイエスとだけ言えばいい」と言われる始末である。なんのことはない、戦後半世紀が経っても、なにかにつけて揶揄されるのは我が国なのである。

このように考える私を「親米保守」の〝ポチ〟と呼ばれようが何でも構わないのだが、岡崎久彦氏のような本来的な意味での「親米保守」の立場からすれば私の所論はかなり違っているのではないかと思うので、私が「親米保守」の「平均的な意見」（西部氏）などということは岡崎氏等からすれば面白くなかろう。

以下、西部氏の批判に私なりに反論したいと思うのだが、未読の方も大勢いらっしゃると思うし、かつ誤解のないように私の「認識を疑う『イラク攻撃反対』論」の全文を紹介させていただくことにする。

これまでに日米同盟関係を主張してきた保守系論者も米国のイラク攻撃がかなりの可能性を持つに至ると、いきなり論調が〝米国のイラク攻撃は容認できない、すべきでない〟に変ってしまうのはどうしたことだろう。一見真っ当な正論のように聞こえるが、これら米国への〝諫言論〟は我が国が置かれている現実を無視した、傍観者的長袖者流論理としかいいようがない。

まず第一に米国という国の本質が理解できていないことだ。米国が我が国のかかる言辞にどれほど苛立っているかが分かっていない。良い意味でも悪い意味でも米国は、敵か味方か、やるかやらないかという二分法である。日本のように賛成か反対かさえも分からない玉虫色は、同盟国として侮られるだけである。

第二に、我が国の安全保障が米国抜きにはまったく担保されえないという冷厳な現実を忘却していることだ。米国にすれば意見を言うのは勝手だが、それなら自分たちがいなくなった場合、日本の安全保障はどうするつもりかと詰問するだろう。その覚悟もないのに理想主義や人道主義を掲げて大上段に振りかざす国は、同盟国たり得ないと考えるであろう。

第三に我が国の安全保障にとって死活的問題である朝鮮半島は、米国にとっては死活的問題ではないという認識である。つまり米国が優先順位の高いイラク問題で我が国が消極的姿勢しかとれないならば、朝鮮半島で事あるとき、十全には助けてくれない可能性さえあるのである。現在、南北朝鮮は奇妙なことに「反米」「嫌米」という符牒で呼応しており、仮に在韓米軍撤退という事態となれば、朝鮮半島は中国の影響下に置かれ、我が国は安全保障上の重大な事態を招くであろう。

以上のような認識を持つとすれば、我が国の防衛体制や国益上、簡単に米国のイラク攻撃反対などという論調は生じ得ないはずである。今後、我が国が外交上で米国の価値観とは明確に一線を画したいと云うなら、それでいい。だが、その時は核武装を含む、完全に自己完結型の防衛体制を構築していく覚悟が必要となるのは言うまでもない。

同盟国には〝旗幟を鮮明〟にして、できることをやってから物を言え

以上が全文である。西部氏は「アメリカは『敵か味方か』を直截に問うというような短絡を犯しがちの国なので、北朝鮮のことにかぎらず、イラクにかんしても、誤算を重ねているに違いなく、それゆえアメリカに何が何でも協力するわけにはいかない」と自分だったら言うと述べておられる。

まず西部氏が主張するように「『敵か味方』かを直截に問う』こと自体が、「短絡」でありかつ「誤算を重ねているに違いない」ことなのかどうかということである。私は「敵か味方か」を問うことは国家の基本戦略であると考えている。スイスのような永世中立国は別として、いつの時代もその時の諸外国とのパワー・バランスも斟酌しながら、「敵か味方」かを峻別して外交戦略を構築してきたのではないか。

戦後の我が国のように、公式には諸外国に「敵国」は存在せず、「現行憲法」前文にある「諸国民の公正と信義を信頼して」、全ての国を友好国と位置付けようとした国のほうが例外中の例外であり、歴史から見ればほとんどフィクションといっていい。我が国は、つい二十年前には、「味方」である米国に対しても、他国に配慮してか「同盟」という言葉を使うのさえ躊躇した国である。

西部氏は米国は「敵か味方か」をすぐ問うから、味方と思っていたら敵になったりと、正

反対の政策を繰り返し、例えばイラン・イラク戦争の時米国はイラクに肩入れしており、反イランの姿勢を鮮明にしていたが、今回は逆であるという〝一貫性〟のなさを指摘されている。我が国は米国の〝ご都合主義〟に巻き込まれるなというご主旨なのかもしれないが、これは米国に限ったことでなく、他の国も同様である。今回最後まで反対していたフランスは、かつてサダム・フセインに取り入って原子力発電設備を受注しており、その後幸いにもイスラエル空軍に破壊されたからよかったもののそれが残っていて核兵器にでも転化されていたら、いまごろフランスの責任は重大極まりないものであり「イラク攻撃」反対どころではないはずである。

だが、米国やフランスはじめ主権国家であれば、時代と状況に応じて、その時々に国家戦略を変えていくのは当然である。我が国の歴史を見ても、日露戦争後には三回にわたる日露協商を結び、ロシアはほとんど同盟国に近い存在であったこともあるが、その後は「日ソ中立条約」を結び、大東亜戦争終結前に一方的に破棄され攻撃されている。また、第一次大戦では、日英同盟の誼で我が国は参戦し、中国青島、西太平洋諸島のドイツを攻略したが、その後日独防共協定、日独三国同盟を結んだのは周知のところである。自国を取り巻く諸関係国の戦略とそのパワー・バランスが変われば、相手が旧敵国だろうが現同盟国だろうがそのような区別なく、自国の戦略を変えていくのが当然というより、必要不可欠なことである。

私が言いたいのは、同盟国の死活的問題に対しては直ちに〝旗幟を鮮明にしろ〟ということである。旗幟を鮮明にするということを単純化していえば、「敵か味方か」、つまりは「支持するかしないか」ということである。そして、具体的にどう支持していくかは、自身の能力とその時の状況に応じて変化するものである。同盟国の死活的問題に対してまったく支持しないというのであれば、同盟の破棄も辞さない覚悟があるという意思表示に他ならないからである。故に、個々の問題の本質を考えてみる必要がある。

かつて米国がパナマに侵攻した時に仮に同盟国に助けを求めても、我が国は勿論、英国も躊躇するだろう。実際に、死活的問題でなければ米国はそのようなことは求めてこない。我が国は米国に対していつも「何が何でも協力する」わけではないし、米国のほうでも「何が何でも協力させる」わけではない。

だが、今回のイラク問題、さらには北朝鮮問題は次元が違う。イラク問題は米国が最大の懸案事項と考えているのは周知のとおりである。我が国は同盟国として助けを求めている「アメリカに何が何でも協力する」姿勢を示さねばならないのである。イラクをないがしろにしておいて、我が国にとっての死活的問題・北朝鮮の時だけ宜しくなどと平然と言えるとしたら、それはまさに「属国」根性そのものだろう。この度の小泉首相（当時）の「イラク攻撃」に対する明確な対米支持はまったく正しい、だが、もっと早くにそれはなされるべきだった。

イラク問題が我が国になんの関係があるのかと言われれば、核兵器開発疑惑や大量破壊兵器拡散の危険はじめ、この十二年の再三にわたる国連決議違反等いくらでもお題目は言えるのだが、そういうことをことさら言わなくても、同盟国米国が最大の懸案としている、という理由だけでいいのである。我が国は英国とともに「イラク攻撃」の正当性を国際世論に訴えるのが同盟国としてのあるべき対応である。

「何が何でも協力する」といっても、我が国として協力できることとできないことがあり、それを話し合うのは当然である。逆に、同盟国として米国に対してできることもしないで、はじめから「アメリカに距離をおく、必要ならアメリカ批判を辞さない」（西部氏）とするなら、同盟はすぐ崩壊するであろう。最低限、できることをしてから、異論を言うのが同盟国としての筋である。

同盟とは互いに血を流す覚悟のある関係である

西部氏は、西尾氏と私の所論をまとめて、「堀氏は『アメリカという名の父親の言うことに従え』といい、西尾氏は、『その頼りにしてきた父親が日本という名の子供をきちんと守ってくれないのでは困る』といっているわけだ」と断定される。

わたしの結論は、半世紀にわたる現状の国防体制では、基本的に「アメリカという名の父親」に従う以外のオプションはありえないではないか、ということである。西部氏は「相互批判なしの同盟は狂信者の連携のほかにはあってはならぬものだ。現に、ＮＡＴＯにおいては独仏が、さらには準加盟国であるロシアが、対米批判を行っているのではないか」と言われる。一般論では確かに、同盟関係とは「その『手段』については相互批判があって当たり前」（西部氏）なのだろうが、我が国と米国の基本関係は西部氏も指摘されているように「たとえ文面上は双務的であっても、対等な二国間の条約ではなかった」のである。いまだに戦勝国と敗戦国という二国間の基本構図から抜けきれていないということに留意する必要がある。

ドイツやイタリアは同じ敗戦国でもＮＡＴＯやＥＵという二国間に止まらない別の枠組みで存在している。しかも、ドイツはコソボ紛争において平和維持部隊派遣に際して部隊のみならず司令官として独軍中将ウィルマン氏を出し、アフガニスタンへも戦闘部隊を送っている実績がある。フランスはともかく、ドイツはこのような実績があっての今回の米国批判ということを忘れてはいけない。つまり、やることをやってからの米国批判なのである。

しかるに我が国の場合はどうであろうか。日米安保条約は有り体に言えば、片務どころか実質的な〝日本保護条約〟であり、日本は基地を提供し、米国は戦力を提供しているから双務性が保たれているなどというレベルが政府の公式見解である。いわんや集団的自衛権は絶対に認めたくないし、戦闘地域への派兵などもってのほかということである。つまり、現在よく使用される「日米同盟」という言葉も、口に甘く耳に心地よく響く言葉なのだが、その実態は西部氏すでにご承知のところである。

日米両国が自由と民主主義という共通の価値観を持ち続けることに異論はなかろう、だがその国益はそれぞれ違うのは自明である。それを明言できるようになるには、まずいち早く「現行憲法」を改正して一人前の軍隊を持つしかない。自分で自分の国も充分に守れる体制もないのに、同盟国に対して協力もせず、やれることもやらずして相手の外交政策だけを批判するなど、それこそ西部氏流に言えば〝親に対する子供の我儘か甘え〟でしかない。

西部氏は「『アメリカを父と思うな、日本はまず自立を思え』ということだ。アメリカに距離をおく、必要ならアメリカ批判を（外交マナーを守りつつ）辞さないと、構えないかぎり日本は自立の道を辿れない」と言われるが、逆であろう。言葉だけの米国批判など何の意味も無い、自立は思うだけではできない。やるべきことは、〝有言実行〟である。

我が国のなすべきことは先に述べたように、直ちに「現行憲法」を改正して、自己完結する一人前の軍隊を持たなければならない。それではじめて、外交と軍事という民主主義国としての〝両輪〟を持つことになり、より積極的に世界の平和と安定に関与していくことを闡明することができる。その時にはじめて、対等の同盟国として米国に対してまた世界に対しても堂々の正論が言えるだろう。あるいは、その時には米国はすでに我が国の同盟国たりえないのかもしれないし、米国もそう考えているかもしれない。

そういう意味で、岡崎久彦氏の「日英同盟」、さらには「日米同盟」というアングロサクソンとの同盟が我が国にとって死活的に重要であった（また、ありつづける）という歴史的教訓を忘れるなという持論とは違い、西部氏が言われるとおり、「アメリカのほうが東アジアからの撤退を選択肢の一つに勘定しているからには、日本は防衛においても自立の道を探る（以外に道はないのである）」必要は少なくともある。

よく言われるように、永遠の敵も味方も存在しないのだから、永遠の同盟関係もない。「自己完結できる防衛体制」に絶えず注力しながら、必要があればそれを補うための同盟関係を、国益を見据えながら構築していけばいいのだが、口で言うほど容易いものではないのは歴史が証明している。

今我が国が考えなければならないのは、米国とは同盟関係にあるという事実である。しかも、まがりなりにも半世紀にわたり我が国の平和と安定に寄与してきた日米同盟関係である。同盟国が血を流す決断をしている時に自分たちだけは安全地帯にいながら、したり顔で百のできない屁理屈をこねるよりも、同盟国という事実を尊重し、ともに血を流す覚悟を少しでも示したら、将来も米国だけは他の諸外国とは違い畏敬の念を持って〝同志〟として我が国を遇するであろう。

堀　茂（ほり　しげる）

昭和31年生まれ。立教大学経済学部卒、杏林大学大学院国際協力研究科博士後期課程修了。現在、公益財団法人国家基本問題研究所客員研究員、一般社団法人日本経綸機構代表理事代行、軍事史学会、国際安全保障学会、政治経済史学会の各会員。
著書に『昭和初期政治史の諸相』『天皇が統帥する自衛隊』（いずれも展転社）がある。

「無脊椎（むせきつい）」の日本
〝高貴な精神〟の復活なくして戦後からの脱却はない

令和三年十一月二十日　第一刷発行

著　者　堀　茂
発行人　荒岩　宏奨
発　行　展　転　社

〒101-0051　東京都千代田区神田神保町2-46-402
TEL　〇三（五三一四）九四七〇
FAX　〇三（五三一四）九四八〇
振替〇〇一四〇-六-七九九九二

印刷製本　中央精版印刷

定価［本体＋税］はカバーに表示してあります。

ISBN978-4-88656-532-7